# SHAKESPEARE

**BIBLIOTECA SALVAT DE
GRANDES BIOGRAFIAS**

# SHAKESPEARE

## F. E. HALLIDAY

Prólogo
**LLUIS PASQUAL**

**SALVAT**

Versión española de la obra original inglesa: *Shakespeare, and his world*, publicada por Thames and Hudson.

Traducción del inglés a cargo de Rafael Vázquez Zamora.

Las ilustraciones cuya fuente no se indica proceden del Archivo Salvat o de Thames and Hudson.

© Salvat Editores, S.A., Barcelona, 1987.
© Thames & Hudson, Londres.
ISBN: 84-345-8145-0 (obra completa)
ISBN: 84-345-8155-8
Depósito legal: NA-1383-1987
Publicado por Salvat Editores, S.A., Mallorca, 47 - Barcelona.
Impreso por Gráficas Estella. Estella (Navarra), 1987.
*Printed in Spain*

# Índice

# William Shakespeare (1564-1616)

El poeta y dramaturgo inglés William Shakespeare nació en Stratford-upon-Avon el 23 de abril de 1564. A los dieciocho años se casó con Anne Hathaway, con la que tuvo tres hijos. En 1587, por motivos no bien conocidos, Shakespeare se traslada a Londres y en seguida empieza a participar, como actor y autor, en el ambiente teatral de la ciudad, que por entonces comenzaba a dar síntomas de gran efervescencia, a la que él contribuiría de modo decisivo. Tras escribir dos poemas narrativos y algunos sonetos, emprende sus primeras tentativas dramáticas, cultivando sobre todo la comedia y, más tarde, siguiendo el ejemplo de Marlowe, el drama histórico y la tragedia, géneros todos en los que alcanzaría una intensidad de expresión inconfundible. Tras la muerte de su hijo Hamnet, en 1597 adquirió la mansión de New Place en el centro de Stratford, lugar en el que pasó largas temporadas cuando la peste obligaba a cerrar los teatros de Londres y a donde se retiraría en 1609. Para entonces había conseguido una acomodada posición económica y ya había escrito buena parte de las obras que le consagrarían como uno de los genios más importantes de la literatura universal: *Romeo y Julieta*, *Hamlet*, *Macbeth*, *Antonio y Cleopatra*, *La tempestad...* El conjunto de sus obras, sin embargo, no fue editado hasta siete años después de su muerte, ocurrida en Stratford en abril de 1616.

◄ *Retrato de William Shakespeare. National Portrait Gallery, Londres.*

*Otelo y Desdémona. Grabado de E. Bure, según dibujo de C. Gregory.*

Prólogo

# De la mano siempre, con William Shakespeare

*por Lluís Pasqual*

*La historia de la vida misteriosa de W. Shakespeare, vista por nosotros, hombres de la segunda mitad del siglo XX, es la historia de dos ciudades. Ambas a la orilla de algún río: Stratford, clara y transparente, donde se educó, y Londres, cortesana, tortuosa y vital, que le ofreció un escenario, en el sentido más literal y figurado, para su desarrollo humano y artístico.*

*Nació en una modesta ciudad «de mercado» y creció en una casa que, de ser la verdadera, ha sobrevivido, casi como un milagro, a la acción destructora del tiempo y el turismo. Se casó, muy joven, con una mujer mayor que él que le dio tres hijos, uno de los cuales —el único varón— murió a los pocos años. En Londres, Shakespeare se convierte en un actor sin demasiado éxito y más tarde en un conocido dramaturgo, el más popular de la época, si bien no demasiado querido por los literatos que compartían su ciudad y su tiempo. Ganó bastante dinero con el teatro y lo invirtió en tierras e inmuebles, sobre todo en Stratford. Pasó sus últimos años en una bella casa, «New Place», que había comprado en su ciudad natal. Hizo testamento y en Stratford murió y fue enterrado. Siete años más tarde, sus obras dramáticas fueron publicadas en un elegante infolio, en Londres, que era y sigue siendo el centro de la industria editorial inglesa. Este sería el resumen de una biografía que, más o menos ampliada, ha sido escrita innumerables veces. Lo cierto es que cualquier biografía sobre Shakespeare está llena de puntos suspensivos, de momentos imaginados y luego verificados por montañas de estudios y siglos de investigaciones buscando la explicación a un hecho que, tal vez, sólo una representación de teatro, con su elementalidad y su carácter simple, poético, puede ofrecer aunque sea parcialmente: la transmisión de la vida de alguien, es decir, de su pensamiento y sus sentimientos a través de los siglos por mediación de la palabra, el «logos», escrita para ser pronunciada en voz alta, y que junto con la música e implícitamente con ella, constituye la más grande de las invenciones que el hombre ha podido crear, soñar e imaginar.*

La historia de Shakespeare, de su vida, es la historia de un hombre, la historia de un hombre de teatro. Por lo tanto, historia pública, que nos pertenece. Vida vista casi como un espectáculo día a día. Transformada miméticamente en espectáculo a través de un procedimiento de autovaciado, de vómito en la propia obra, unas veces con dolor, otras con alegría. Y es, al mismo tiempo, una historia secreta, llena de claroscuros humanos, que contiene muchos dramas verdaderos, casi siempre olvidados, o apenas intuidos o descubiertos. Historia de apuestas y compromisos con la vida, con el mundo, con uno mismo, llena de silencios y también de victorias, que, como en el teatro, proporcionan una alegría o una felicidad demasiado efímera, porque el hombre de teatro Shakespeare, como tantos antes o después de él, posee un especial sentido del pudor en lo que concierne a su vida personal «verdadera», a veces hasta desconocida por él mismo. Quien se ha deslumbrado hasta casi la ceguera con el sol ficticio de una escena, quien se ha consumido demasiado a sí mismo ante los demás, y podemos afirmar que vive sólo para ofrecerse a los demás sobre la implacable desnudez de un escenario, siempre guarda, celosamente escondida, su propia (¿verdadera?) identidad. Esta es la única manera de defenderse, de existir, en el juego constante de fuera y dentro que el teatro exige.

Así, una imagen de lo que fue la existencia de W. Shakespeare será siempre una fusión de vida y obra, con un margen legítimo a la divagación, para comprender hasta qué punto no hay caminos paralelos entre la trayectoria vital del creador y su creación sino líneas que se cruzan como las vías de un trazado de ferrocarril. No se trata de la reconstrucción histórica o formal de una época, sino de algo que nos ayudará a leer y releer sus textos con una visión que será personal —como se ve siempre la vida de alguien perdido en el tiempo—, llena de amor y por lo tanto arbitraria y egoísta como es el amor, para poder incorporarla a nuestra propia existencia, descubriendo en el fondo, bajo cada palabra, la eternidad de cualquier ser humano.

La historia de William Shakespeare es la de un hombre que vivió e impulsó una reforma del teatro (¡una de tantas!), que la quiso y la llevó a cabo, desde la historia y desde el mundo del teatro, con las gentes del teatro, entre las cajas de un escenario. Historia de un hombre que tal vez no fue ni bueno ni limpio, pero que también fue, o que fue básicamente, terriblemente humano. Un hombre que supo vivir «desde dentro» la realidad de su siglo, y que entendió, quizá no del todo conscientemente, pero ciertamente sí como curiosidad, como intuición social, una de las más grandes transformaciones históricas de la humanidad, el paso de un mundo viejo a un mundo nuevo en el que el hombre sería el centro y la medida de todas las cosas.

Para nosotros, la gente que nos enfrentamos cada día con el oficio de contar historias desde un escenario, Shakespeare es el teatro, como Rembrandt es la pintura o Mozart la música. No pretendo justificar tales afirmaciones, que surgen sólo de una apreciación sensible y apasionada, pero no por ello menos cierta. Vemos que Shakespeare reaparece y se repite, como protagonista y como refugio en las diversas épocas en que cualquier creador teatral necesita una reflexión sobre su propio medio de expresión, o una profundización, un viaje a través del vastísimo paisaje de los seres humanos, de la mano de alguien, como Virgilio acompañara a Dante.

De una manera cercana a nosotros, Shakespeare acompaña, como un santo protector, el nacimiento del teatro contemporáneo y de la dirección escénica contemporánea, en sus diversos momentos estilísticos, desde Max Reinhardt a Peter Brook o Giorgio Strehler. A veces a través de espectáculos, otras a través de una nueva perspectiva en la lectura de sus obras como la de J. Kott en su extraordinario y provocativo (expresamente provocativo) libro Shakespeare, nuestro contemporáneo. Dice Niadne Knonchkine, a raíz de sus tres últimos «Shakespeares» montados por el Théâtre du Soleil: «Montamos Shakespeare para saber de qué está hecho el teatro.» A esa afirmación, a esa búsqueda a través de las palabras, que un hombre nos ha dejado como riquísima herencia, yo añadiría: «Montamos Shakespeare para entender de qué materia estamos hechos los seres humanos.» Para eso, podríamos utilizar muchos autores. Y a pesar de todo, sólo en Shakespeare se da ese hombre en su totalidad, como un prisma de innumerables caras, unas iluminadas y otras en la sombra. El hace girar constantemente el prisma ante nuestros ojos, siempre habrá caras iluminadas y caras oscuras. La luz, nuestra percepción, siempre será parcial en cada uno de los momentos, pero al final habremos conocido todas las facetas del prisma porque Shakespeare (son palabras de Gabriel Ferrater) «lo dijo todo porque lo sabía todo», cerrando un ciclo completo humano y teatral.

Shakespeare aporta a la historia del teatro y del arte, de una manera diáfana y rotunda, la creación de la «metáfora» para explicar el comportamiento de y entre los seres humanos. Y aquí deberíamos olvidar el término «dramaturgo» para utilizar sólo el de «poeta». Y los poetas, los verdaderos, lo saben todo, lo han sabido siempre todo, porque la poesía es «verdad». «Verdad» simple y compleja, clara y misteriosa como las parábolas que Shakespeare impone encima de un escenario en un momento en que él quiso que el teatro fuese el reflejo de una colectividad. Y la sociedad aceptó el juego del teatro no para ver en él la ilustración de una idea, sino para sumergirse en las contradicciones y los antagonismos de una multitud de individuos. Lo más alejado de nuestra heredada concepción burguesa del teatro y del arte en general y de la noción decimonónica de «buen gusto» aplicado a la creación y a la belleza. Hay que olvidarse del «buen gusto» cuando uno trata con Shakespeare. Y aquí tal vez sea importante recordar que Shakespeare nació en Inglaterra, que ha sido siempre, como la India, o como determinadas culturas árabes cercanas y antecesoras nuestras, un país simultáneamente bárbaro y refinado, de una extrema violencia y de una suprema elegancia.

Saberlo todo no es suficiente. Para poder contarlo, compartirlo con los demás, hay que convivir con dos palabras históricamente decisivas en el siglo XVI europeo: el miedo, que había dominado el comportamiento del hombre durante siglos, y la libertad, que surgía como motor indispensable del hombre nuevo. El miedo, para evitarlo, y la libertad, para ejercitarla. Y Shakespeare es, tal vez, el poeta con menos miedo y con más sentido de la libertad, lo que quizá correspondiera en el plano humano –y eso nunca podremos saberlo– a un hombre con mucho miedo y con grandes deseos de ser libre. Estas dos características son las que te aseguran el cobijo cuando te encuentras con él. Sabes que va a protegerte, que te va a ayudar. Y al mismo tiempo, te produce una sensación de humildad, de impotencia, de no estar nunca a la altura de ese ejercicio libre de moverse, sin temor, a través del tiempo y del espacio.

Uno de los momentos mágicos de un ensayo o de una representación de cualquier obra de Shakespeare es ver un estudiante de teatro, o un actor decir en voz alta un monólogo: el actor se siente pequeño, conscientemente pequeño, y al mismo tiempo ayudado, poseído por las palabras en una relación que podríamos calificar de «física». Por muy equivocado que esté el actor, con respecto a la interpretación, en un momento de búsqueda, siempre llega el instante en que algo mágico, tangible, teatral, se produce. Una palabra detrás de otra crean una realidad con y más allá del propio actor. Las palabras adquieren consistencia, materialidad, como la leche se vuelve espesa con el fuego, y hacen que el intérprete se lance a buscar algo que antes ni siquiera hubiera supuesto, más allá de su cometido puramente artístico. Cuando se interpreta o se dirige una obra de Shakespeare, los criterios artísticos no bastan.

He dicho antes que ejercitaba la libertad como poeta: en su teatro no hay reglas, ni de espacio ni de tiempo. Su teatro gana cualquier limitación. Hay escenas que uno no puede concretar exactamente dónde ocurren. Tienes la impresión de que comienzan en un lugar y terminan en otro. Hay obras cuya acción puede transcurrir en dos años, en dos meses, en veinte años. Escribía con una sola respiración, sin indicaciones escénicas, creando su propia medida del tiempo y el espacio, tan poderosa, que nunca producen confusión. De la misma manera mezcla personajes reales e irreales, soñados o procedentes de la imaginación. Una palabra le basta para que el espectador sitúe la acción o para hacer físico un elemento que, de haberlo construido, sería incompleto o absurdo. Basta que un personaje pronuncie la palabra «bosque» para que ante el espectador aparezca la imagen de unos árboles más reales que los que cualquier artilugio teatral podría representar. Gran alquimista de las palabras, sintetiza en ellas, como si lo concentrara en un frasco de perfume, todo el aroma que evocará y hará revivir en el público el olor, la vista y el color de un jardín.

He dicho también que no tenía miedo. Nunca tuvo miedo de tomar formas o contenidos de otros autores y creadores que le precedieron, adaptándolos a su propia dinámica y su manera de contar.

Hay una actitud de cirujano, de radiólogo, en la visión que Shakespeare tenía del hombre. El teatro como «espejo del tiempo» le hizo no obviar nada: penetró en lo más profundo de las pasiones humanas, el amor, la traición, los celos, la locura, los sueños, el conocimiento, la ambición, la desesperación... nunca unilateralmente, construyendo hombres, nunca máscaras. Buceó en el caos, sin piedad, porque, como poeta y como hombre, poseía la certeza de una finalidad moral en el ser humano. Buceaba en el caos para reconstruir finalmente un equilibrio armónico, cósmico, que integrara y devolviera al hombre, a su principio, a una perfecta armonía universal. Algo así como poder escribir toda la historia del hombre desde dentro, desde sus contradicciones y sus deberes más altos, pero siempre teniendo a ese hombre como modelo y medida del universo.

Admira en el ser humano su capacidad de crear belleza. Sonríe a veces con benevolencia, a veces con cinismo, pero nunca juzga, nunca critica a sus personajes, tal vez porque está en todos ellos y desaparece detrás de cada uno de ellos, y algunos, los que nos resultan más incomprensibles, los representó él mismo como actor, buscando la dificultad, intentando encontrar y mostrar las claves de lo inexplicable.

Por eso, una lectura de lo que los investigadores han descubierto sobre el hombre, y al mismo tiempo una lectura comprometida de su obra puede ayudarnos, como sólo el arte puede hacerlo, a entender nuestra época, dura, contradictoria y en plena transformación, muy parecida a la del hombre que vivió en una colectividad a quien le apasionaba ver representados sus conflictos diarios en un teatro potente y generoso.

# 1. Infancia y juventud en Stratford

El apellido Shakespeare existe en el Warwickshire desde por lo menos mediados del siglo XIII, cuando un tal William Sakspere vivía en Clopton, en las afueras de Stratford. Este William medieval no fue, sin embargo, un motivo de orgullo para la familia, pues más de trescientos años antes del nacimiento de su famoso homónimo fue ahorcado por ladrón. «Sakspere» es sencillamente una variante del apellido, que podía escribirse de innumerables maneras, derivando hasta formas cada vez más lejanas de la aceptada generalmente, o sea, «Shakespeare»: Shakespert, Schakosper, Shexsper, Saxpere,

*Vista de Warwick desde las colinas de Budbrooke.*　　　　　Edwin Smith

*Iglesia de Snitterfield, donde probablemente fue bautizado el padre de Shakespeare.*

Edwin Smith

*La casa de Robert Arden en Wilmcote. En ella nació la madre de Shakespeare* ▶

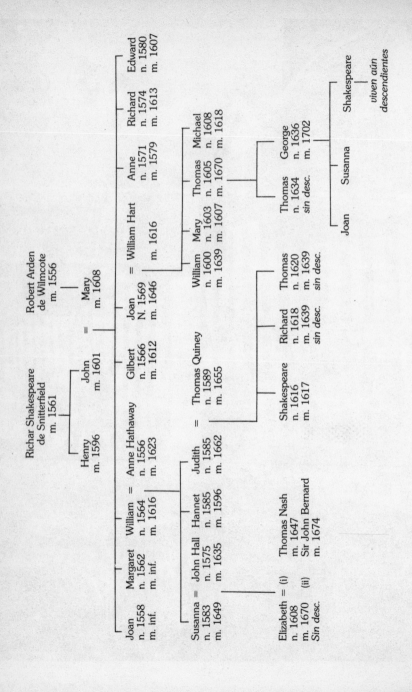

Robert Arden
de Wilmcote
m. 1556

Richar Shakespeare
de Snitterfield
m. 1561

Mary
m. 1608

=

Henry
m. 1596

John
m. 1601

Margaret
n. 1562
m. inf.

William =
n. 1564
m. 1616

Anne Hathaway
n. 1556
m. 1623

Gilbert
n. 1566
m. 1612

Joan
N. 1569
m. 1646

= William Hart
m. 1616

Anne
n. 1571
m. 1579

Richard
n. 1574
m. 1613

Edward
n. 1580
m. 1607

Joan
n. 1558
m. inf.

William
n. 1600
m. 1639

Mary
n. 1603
m. 1607

Thomas
n. 1605
m. 1670

Michael
n. 1608
m. 1618

Susanna =
n. 1583
m. 1649

John Hall
n. 1575
m. 1635

Hannet
n. 1585
m. 1596

Judith
n. 1585
m. 1662

=

Thomas Quiney
n. 1589
m. 1655

Shakespeare
n. 1616
m. 1617

Richard
n. 1618
m. 1639
sin desc.

Thomas
n. 1620
m. 1639
sin desc.

Elizabeth = (i)
n. 1608
m. 1670
Sin desc.

Thomas Nash
m. 1647

(ii) Sir John Bernard
m. 1674

Joan

Susanna

George
n. 1636
m. 1702

Thomas
n. 1634
sin desc.

Shakespeare
viven aún
descendientes

*Iglesia de Aston Cantlow, en la que probablemente se casaron los padres de Shakespeare, aunque no existe la inscripción de su matrimonio porque el registro comienza después de la fecha en que se celebró.*

Sashpierre, Chacsper, Sadspere, Shaksbye, Shaxbee, incluso Shakeschataff. Los genealogistas del siglo XVII eran partidarios de una derivación heroica —«*Guerrero*, según el sonido bélico de su apellido: *hasti-vibrans* o "blande-lanza", esto es, *shake-speare*»; y de ahí que algunos le atribuyan un origen militar—, pero esta pintoresca interpretación es muy discutible, ya que sólo una familia Shakespeare del Warwickshire poseyó tierras por derecho militar.

El abuelo del poeta fue probablemente el Richard Shakyspere que en 1525 vivía en Boudbrooke, en las bajas colinas que miran hacia Warwick, al este. Pocos años después se mudó al pueblo de Snitterfield, a cinco kilómetros al norte de Stratford, donde cultivaba la tierra en la finca de Robert Arden, jefe de la rama menor de una antigua y distinguida familia del Warwickshire. Los dos hijos de Richard, John y Henry, nacieron en ese pueblo de Snitterfield probablemente en torno a los años 1530 y fueron bautizados en la iglesia parroquial.

*La casa donde nació Shakespeare, en ilustraciones y fotografías de diferentes épocas. De arriba a abajo: primera imagen conocida de la casa en 1769, según un dibujo de Richard Greene en* The Gentleman's Magazine; *antes de la restauración, en 1847, cuando el cuarto de estar había sido convertido en una carnicería; durante la restauración, en 1857, y tal como puede contemplarse en la actualidad.*

Robert Arden no vivió en Snitterfield, sino en Wilmcote, un pueblecito a unos seis kilómetros y medio, al oeste, donde tenía otra finca. Allí, en su hermosa casa-granja, casi toda ella de madera, respaldada por buenos graneros y un gran palomar de piedra, crió una familia de ocho hijas, la más joven de las cuales era Mary. Durante casi treinta años, los dos abuelos de Shakespeare fueron vecinos. Solamente les separaba un breve trecho de camino y estaban ligados por un interés común hacia la tierra de la que el uno era propietario y el otro aparcero.

John Shakespeare debía de conocer a Mary Arden desde niño y cuando, hacia 1550, se mudó a Stratford dejando que su padre y su hermano llevaran la granja de Snitterfield, seguía estando sólo a una hora escasa de marcha de los suyos. No hay duda de que el hijo del humilde granjero consideró necesario mejorar de posición económica para lograr la mano de la hija de un hidalgo campesino, aunque éste fuera un hombre sencillo. Por eso se instaló en Stratford como guantero. Prosperó su negocio y, poco después de morir Robert Arden en 1556, se casó con Mary, seguramente en la iglesia de Aston Cantlow, de la parroquia a la que pertenece Wilmcote. Era una buena boda para este joven ambicioso, pues aparte de su nombre y posición social, Mary aportaba dos propiedades en Wilmcote —unos ciento cincuenta acres en total— y su parte en la finca de Snitterfield.

Pero también John era dueño de tierras. Le iban bien las cosas y poco antes de su matrimonio había invertido dinero en dos casas de Stratford, una de las cuales se hallaba en la acera que formaba el lado norte de la calle Henley, en lo alto del pueblo. Esta casa era la que estaba al este de la futura «casa natal de Shakespeare», en la que quizá viviera ya como inquilino. Era vecino de la calle Henley desde hacia algún tiempo, pues en 1552 John y su amigo Adrian Quiney habían sido multados —y con razón— por haber hecho un estercolero en esa calle. De modo que si lo que aportó él al matrimonio fue la casa donde naciera William Shakespeare, hay que suponer que trasladó su negocio a la otra casa recién comprada, la de al lado.

El primer hijo les nació en septiembre de 1558. Nada más se sabe de esta niña; es probable que muriese en la infancia, como su hermana, que contaba sólo cinco meses cuando fue enterrada en abril de 1563. Quizá fuesen víctimas ambas de la peste que asoló Inglaterra con excepcional rigor durante ese año, de modo que la esperanza tuvo que ir muy mezclada con el terror en los corazones de John y Mary Shakespeare cuando se fue acercando el tiempo en que debía de nacer su tercer hijo. Pero la peste desapareció con las

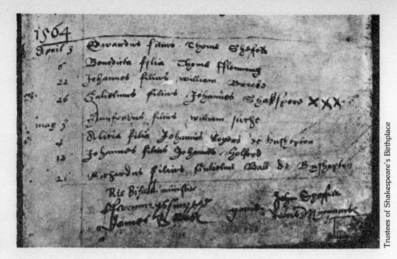

*Inscripción en el Registro de la parroquia de Stratford del bautizo de «William, hijo de John Shakspere», el 26 de abril de 1564.*

heladas del invierno, y cuando los perales y los manzanos florecían, en abril de 1564, nació un niño, quizá el día 23. Le llamaron William, y el día 26 «Gulielmus filius Johannes Shakspere» fue bautizado en la iglesia parroquial de la Santísima Trinidad.

La reina Isabel tenía entonces treinta años. Seis años antes había subido al trono de Inglaterra, país atrasado y en bancarrota al borde de la nueva civilización del Renacimiento. Sin embargo, gracias a su notable valor y a su capacidad, había puesto ya a su país en el camino de la fortuna. Sobre todo, había logrado unir a la gran mayoría de su pueblo estableciendo como religión oficial una forma moderada de protestantismo, aunque aún quedaban algunos católicos aparte y, por otro lado, grupos de puritanos descontentos, para los cuales la Reforma no había avanzado lo suficiente. La reina había sido orientada y ayudada en cuantas medidas tomaba por su secretario William Cecil, lord Burghley, que la serviría con invariable devoción hasta el final de su reinado.

Pero había algo que Isabel no podía hacer, por lo menos directamente: convocar a los escritores para que enriquecieran la literatura inglesa, que, desde la muerte de Chaucer, ciento sesenta años antes, padecía una lamentable esterilidad. Había músicos tan notables como los mejores de Europa, sobre todo Thomas Tallis y su discípulo William Byrd; pero ¿dónde estaban los poetas? Sin embargo, indirectamente, la reina podía hacer mucho.

Había otra cosa que Isabel no haría ni querría hacer: casarse.

*La reina Isabel I, a los 35 años de edad. Hampton Court.*

*Retrato de William Cecil (1520-1598), lord Burghley, secretario de la reina Isabel. National Portrait Gallery, Londres.*

Flirteaba y, para sus fines diplomáticos, hacía un gran despliegue de intenciones de boda, aunque el hombre más probable parecía ser su favorito, Robert Dudley, conde de Leicester, al que acababa de conceder el castillo de Kenilworth. Leicester era impopular e inaceptable: se sospechaba que había asesinado a su primera esposa. Pero Isabel debía casarse, pues la heredera del trono era la católica y voluble María, reina de los escoceses, que estaba a punto de contraer matrimonio con su joven primo lord Damley. Cecil estaba frenético de impaciencia, pero Isabel se obstinaba en seguir soltera.

Todos los veranos la reina tomaba unas vacaciones en las que emprendía una gira oficial. Acompañada por su corte, con inmensa cantidad de equipaje, se alojaba en las casas de aquellos súbditos más importantes que tenían la buena suerte –o la desgracia– de vivir cerca de la capital. En agosto de 1556 pasó unos días con Leicester en Kenilworth visitando al hermano de éste, el conde de Warwick, en el castillo de Warwick, de camino a Charlecote, la casa recién reconstruida que tenía sir Thomas Lucy cerca de Stratford.

*Robert Dudley (1532-1588), conde de Leicester y primer favorito de la reina Isabel. Trustees of the Wallace Collection.*

*Residencia de sir Thomas Lucy en Charlecote cerca de Stratford, donde la reina Isabel residió durante algunos días en 1566.*

Edwin Smith

Fue probablemente en Charlecote donde Shakespeare, que entonces tenía dos años y medio, vio por primera vez a la reina al salir ésta por el gran portal y dirigirse hacia el sur, camino de Banbury y Oxford. Isabel no vería de Stratford más que la iglesia brillante bajo la luz del sol a la orilla del río.

La iglesia de la Santísima Trinidad se halla en el extremo sur de la población y su hermoso presbiterio y su torre (la aguja fue añadida después de los tiempos de Shakespeare) se reflejan en las aguas del Avon. Durante más de dos siglos había sido una iglesia colegiada servida por sacerdotes que vivían en la clerecía, pero veinte años antes de que naciera Shakespeare la clerecía había sido disuelta y la casa había sido ocupada por la familia Combe. Desde

Edwin Smith

▲ *Iglesia de la Santísima Trinidad, en Stratford, donde Shakespeare fue bautizado y enterrado.*

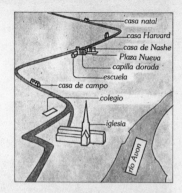

casa natal
casa Harvard
casa de Nashe
Plaza Nueva
capilla dorada
escuela
casa de campo
colegio
iglesia
río Avon

*Vista aérea de Stratford-upon-Avon. En el dibujo se señalan los lugares más importantes del camino que une la iglesia con la casa natal de Shakespeare, todos ellos ligados imperecederamente a la memoria del escritor.*

Aerofilms Ltd.

El puente de Clopton sobre el río Avon, enlace entre Stratford y Londres.

La meseta de los Costwolds, cerca de Stratford, lugar muy frecuentado por ▶
Shakespeare.

la iglesia y la clerecía, la carretera dobla a la izquierda hasta unirse a la ancha calle que cruza la pequeña ciudad de norte a sur. Las casas son de ladrillo y madera, pues la piedra más cercana es la de los Cotswolds, a unos pocos kilómetros, y aquí, en el mismo corazón de la villa, están los edificios del municipio: las casas de caridad, el de la corporación, con el aula de la escuela de gramática encima de él, y la encantadora capilla, de un gris espectral. El gremio de la Santa Cruz –religioso y social– había sido en tiempos una potencia en la villa, pero lo habían suprimido lo mismo que la clerecía, y el poder municipal estaba ahora en manos de un alcalde o *baile*, los concejales y los principales vecinos. En la esquina, frente a la capilla, estaba New Place, una gran casa en parte de madera edificada por sir Hugh Clopton poco antes de que le enterrasen en la iglesia, en 1492. También era de sir Hugh el puente medieval de muchos ojos situado al extremo norte, única comunicación con Londres y el este, pues la villa estaba completamente edificada en la orilla occidental del río. Cuando Shakespeare era niño, aquello era una típica ciudad-mercado de unos dos mil habitantes, dedicados la mayoría de ellos a la agricultura o a la industria en pequeña escala, como el negocio de su padre, que era guantero. Las calles estaban muy

Edwin Smith

Edwin Smith

sucias, pero eran anchas y la mayoría de las casas tenían jardín. El chico podía ir desde la calle Henley, cruzando los restos del bosque de Arden, en dirección a Henley, Warwick, Alcester y Bidford; o podía atravesar el puente y, al cabo de una hora, hallarse al pie de los Cotswolds, hermosas mesetas pobladas de hayas. Además, para su delicia, disponía siempre del río.

En 1561 había muerto Richard Shakespeare en Snitterfield, donde su hijo más joven, Henry, llevaba la granja. Henry tenía un carácter difícil y siempre andaba metido en dificultades. Su hermano John, en cambio, proseguía en Stratford su próspera carrera. En

*La escuela –Grammar School– de Stratford, donde Shakespeare aprendió latín. Anteriormente, el aula había sido salón de sesiones del gremio de la Santa Cruz.*

◀ *Casa de la Corporación, en Stratford. En la sala superior estaba instalada la escuela.*

1565 le nombraron concejal, y en 1571, después de haber desempeñado el codiciado cargo de baile (cargo similar al de alcalde), se convirtió en una venerable autoridad municipal y en juez de paz. Había tres niños más: Gilbert, Joan y Margaret. William, de siete años, tenía ya edad para ir a la escuela.

Ya es tiempo de acabar con la absurda idea de que Shakespeare era un campesino ilustrado. Su madre pertenecía a una gran familia. Su padre fue un hombre de negocios ambicioso y excepcionalmente dotado, y aunque no quedan pruebas (¿por qué iba a haberlas?) de la educación escolar de William, es inconcebible que

*El viejo pupitre de Shakespeare, que se conserva en su casa natal.*

*Gramática latina, de Lyly (Folger Shakespeare Library, Washington) y la Biblia ginebrina (British Museum, Londres).*

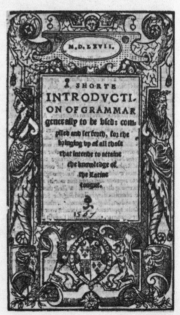

con semejantes padres desaprovechara la oportunidad de asistir a la escuela local. Para los hijos de los burgueses la educación era gratuita hasta la edad de dieciséis años; además, aquélla era una de las mejores escuelas de la región. Por tanto, debemos imaginarnos a Shakespeare durante la década de 1570 sentado en su pupitre del aula situada sobre la cámara del concejo (donde su padre contribuía a la buena dirección del pueblo), primero a los pies de Simon Hunt, devoto católico, y luego del galés Thomas Jenkins, a quien habría de caricaturizar con cariño en el sir Hugh Evans de *Las alegres comadres*. La enseñanza sería liberal, fundamentalmente en latín, y con ayuda de la gramática latina de Lyly, el joven William se abriría paso por los clásicos más fáciles, entusiasmándose con Ovidio, leyendo algo de Virgilio, y quizá alguna de las comedias de Plauto y de las tragedias de Séneca. Su Biblia sería probablemente la popular versión ginebrina de 1560, más que la oficial Biblia de los Obispos de 1568.

Sus días escolares fueron tiempos revueltos en Inglaterra. María, reina de los escoceses, después de asesinar a su esposo, se

*Representación de la matanza de la Noche de San Bartolomé, obra de F. Dubois. Museo de Bellas Artes. Lausana.*

refugió en Inglaterra, donde la tuvieron muy vigilada, y su hijo Jacobo VI, un muchacho enfermizo de la edad de Shakespeare, reinó en su lugar. El papa había lanzado la Contrarreforma; Felipe II de España había provocado la rebelión de sus súbditos protestantes en los Países Bajos; Francia estaba agitada por una guerra religiosa (precisamente, mientras Isabel estaba en Charlecote, el día de San Bartolomé de 1572, los católicos llevaron a cabo la gran matanza de hugonotes en París). La propia Isabel había sido excomulgada; se produjo un levantamiento católico y hubo conspiraciones contra su vida. Sin embargo, se las arregló para librar a Inglaterra de una guerra abierta con España. Pero Drake estaba saqueando las Indias Occidentales y las posesiones españolas, y en 1577 había iniciado el viaje en que daría la vuelta al mundo.

Los años setenta fueron también de gran inquietud en el pequeño mundo del teatro. Los «milagros» medievales seguían siendo representados algunas veces a la manera tradicional, como en Coventry, lugar situado sólo a unos treinta kilómetros de Stratford, donde los gremios representaron una serie de viñetas bíblicas en

Retrato de sir Francis Drake (1543-1596), después de su viaje alrededor del mundo. British Museum, Londres.

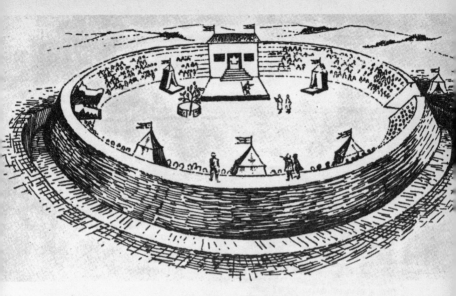

*Los «milagros» aún se representaban cuando Shakespeare era un muchacho. En la imagen, teatro medieval de Perran, según una reconstrucción basada en las instrucciones escénicas de los «milagros» de Cornualles.*

escenarios móviles o *pageants*. Las poblaciones pequeñas tenían que contentarse con representaciones más modestas en una especie de coso formado por un talud o por gradas de madera levantadas para acomodar al público. Alrededor de esta plaza se disponían un cierto número de «mansiones» de lona, que más bien parecían casetas de baño y que representaban los escenarios del drama. La boca del Infierno estaba del lado norte, y al este el.Cielo, que era una cabaña de madera con el Trono de Dios, al que se llegaba por unos escalones desde un escenario saliente. Los actores esperaban en sus «mansiones» hasta que los llamaban para interpretar sus papeles en el coso (*arena*), pues era en él donde tenía lugar casi toda la acción, ya que el escenario se reservaba para lo más sublime de la obra, cuando aparecía Dios.

Pero ya a principios del reinado de Isabel el drama religioso era una rareza, una reliquia de épocas pasadas. En las escuelas y en la universidad los niños y los adolescentes representaban comedias latinas en sus refectorios, y las compañías teatrales recorrían el país representando *interludes*, burdas farsas que eran casi números de acrobacia. El lugar adecuado para sus funciones eran los *cosos* medievales, donde éstos aún existían, o los patios de las posadas con sus galerías en torno. Sin embargo, había *interludes* más serios

Vista de Londres, hacia 1600, según un grabado incluido en el Diario manuscrito de Abram Booth, agente de la Compañía Holandesa de las Indias Orientales. Biblioteca de la Universidad de Utrecht.

Portada de Gorboduc, primera obra teatral inglesa escrita en verso libre. Fue impresa subrepticiamente en Londres, en 1565. Se trata, asimismo, de la primera tragedia inglesa escrita a la manera clásica de Séneca. Biblioteca Huntington, San Marino, California.

–aunque no podría llamárseles «obras teatrales» en el sentido actual–, que se escribían para ser representados privadamente en las casas de los nobles y en la corte. Pequeñas compañías de comediantes eran contratadas para representarlos, sobre todo en las navidades, después de las cuales los cómicos tenían que buscarse el mejor medio de vida posible en Londres o en provincias. Por tanto, cuando Shakespeare era un muchacho, el teatro se hallaba en un estado lamentable. La Reforma había acabado casi con el drama religioso y el Renacimiento aún no había creado un teatro profano

que pudiera sustituirlo. Los actores eran tratados como pícaros y vagabundos, y muchos de ellos efectivamente lo eran. Por otra parte, no existían teatros públicos.

Sin embargo, poco antes de que naciera Shakespeare, había surgido algo muy significativo. Nicholas Udall, director de la Universidad de Eton, había escrito una comedia, siguiendo el modelo de Plauto, para que los alumnos la representasen; y Thomas Sackville y Thomas Norton compusieron una tragedia, al estilo de Séneca, para que fuera representada en la corte por los estudiantes del Inner Temple. La primera, *Ralph Roister Doister*, es la primera comedia propiamente dicha escrita en inglés, y la otra, *Gorboduc*, la primera tragedia. Además, *Gorboduc* fue la primera obra teatral escrita en verso libre. La estructura dramática de estas dos obras podía servir ya de modelo.

En los años setenta hubo otros dos avances, más importantes que los citados. El trabajo de actor fue reconocido oficialmente como una profesión legítima siempre que el actor se colocase bajo la protección de un noble del reino; y en 1576, se construyó en Londres el primer teatro público. La idea y la empresa fueron de James Burbage, ex carpintero y actor de la compañía del conde de Leicester. Tuvo la buena ocurrencia de edificar su local –al que llamó orgullosamente *El Teatro*– en el suburbio de Shoreditch, que crecía rápidamente al norte de las murallas de la ciudad, fuera del control de la corporación puritana, para la cual los teatrillos de las posadas eran «meros burdeles de la alcahuetería». Como era de esperar, *El Teatro* se reducía a una combinación de coso medieval y patio de posada, un anfiteatro de madera con dos o tres galerías que rodeaban una «arena» abierta con un escenario saliente en el que los comediantes podían tumbarse.

Pronto le salió a Burbage un competidor, pues al cabo de un año se elevaba el *Curtain* (nombre que en este caso no significa

*El teatro Curtain, construido por Henry Laneman en 1576. Shakespeare y su compañía se establecieron en él desde 1597 a 1599. La imagen es un detalle de la vista de Londres de las páginas anteriores.*

*Vista de Blackfriars, donde se encontraba el teatro de la compañía infantil. British Museum, Londres.*

«telón», ya que ese teatro lo tomó de Curten o Courtein, por llamarse así el terreno sobre el que se edificó), a unos centenares de metros hacia el interior de la ciudad, con la astuta idea de captar al público de *El Teatro*. También surgió otra clase de competencia. La melindrosa Isabel prefería las representaciones más civilizadas y musicales dadas por los muchachitos a los rudos esfuerzos de los bastos actores adultos, de manera que, estimulado por el favor de la reina, el maestro de los coros alquiló una gran sala en el disuelto priorato de Blackfriars, cerca del río, y allí daban representaciones públicas de sus comedias antes de presentarlas en la corte. Los chicos del coro de San Pablo tenían también su teatrito, de forma que en 1577 había dos teatros «públicos» al aire libre y dos con techo o «privados». Pero ¿dónde estaban los poetas y dramaturgos que debían de escribir para ellos?

Por supuesto, Shakespeare no sabía nada de estos adelantos, aunque sus efectos llegaban incluso a Stratford. Ya en 1569, siendo alcalde su padre, los actores que escenificaban *interludes*, expulsados de la corte por su incompetencia, habían visitado aquella población, donde dieron una primera representación en la cámara del concejo antes de que les autorizasen a actuar ante el público. Luego, en los años setenta, Stratford se convirtió en lugar habitual de visita para las compañías ambulantes, sobre todo para la del conde

*Documento del pago realizado por las autoridades de Stratford a los Comediantes de la Reina. Trustees of Shakespeare's Birthplace.*

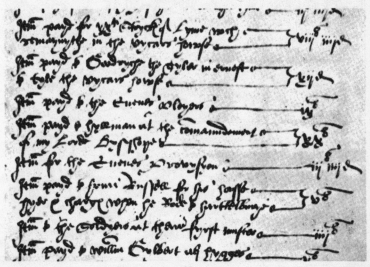

de Leicester; y naturalmente, fue la compañía del conde la que contribuyó a distraer a la reina cuando ésta estuvo en Kenilworth en el verano de 1575. Los *pleasures* (o «divertimentos») alcanzaban un importante nivel, y es lógico pensar que Shakespeare interpretase algún pequeño papel el día del gran festejo acuático de la Dama del Lago y se admirase viendo a Arión airosamente montado a lomos de un delfín.

En ese año su padre compró más tierras en Stratford, pero su buena fortuna no tardó en empezar a decaer. Si era católico –lo cual es probable–, las multas debieron de arruinarle, o quizá se viera envuelto en los asuntos de su hermano Henry, como sin duda lo estuvo más tarde; pero, fuera cual fuese el motivo, hacia 1579 tuvo que hipotecar la finca de su mujer en Wilmcote y vender la

*Grabado sobre «el honorable divertimento» ofrecido a la reina Isabel en Elvetham, en 1591, y al que Shakespeare se refiere en* El sueño de una noche de verano.

parte de ella en la propiedad familiar de Snitterfield. Anne, de ocho años, murió en esa misma fecha, pero había nacido un tercer hijo, Richard, en 1574; y para aumentar sus preocupaciones, el matrimonio esperaba pronto otro, si bien William cumpliría dieciséis años en abril siguiente, dejaría la escuela y podría ayudar en el negocio de su padre. Esta era, pues, la situación de la casa de la calle Henley en la primavera de 1580, mientras Drake se acercaba a Plymouth después de haber dado la vuelta al mundo. John Shakespeare estaba pasando una mala racha. Tenía cinco hijos: el pequeño Edmund, Richard de seis años, Joan de once, Gilbert de catorce, y William, que acababa de cumplir los dieciséis. Pero William era un apoyo más que una carga, aunque bien podemos sospechar que le interesaban menos los asuntos de su padre que

*Portada de la primera edición inglesa de las* Vidas, *de Plutarco. Bristh Museum, Londres.*

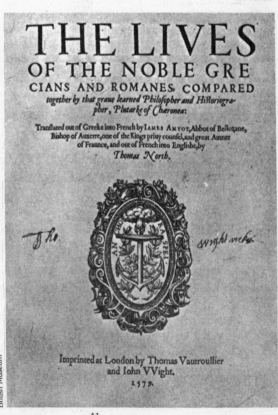

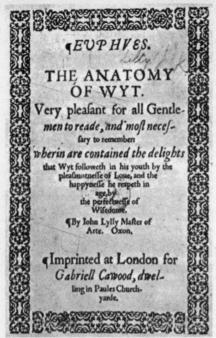

tres libros recién publicados: la novela de John Lyly *Euphues*, la traducción de Plutarco por Thomas North, y el *Calendario del pastor*, obra de Edmund Spenser dedicada a Philip Sidney. Había empezado el renacimiento literario.

Más adelante, Shakespeare llegaría a convertirse en un admirable hombre de negocios, pero de muchacho debió de parecerle detestable la rutina mercantil cuando lo que él deseaba era disponer de tiempo para leer y sobre todo para escribir. Sin embargo, encontraría algunos ratos para sus escritos de adolescente: sin duda, canciones, sonetos y verso blanco al estilo de Wyatt y Surrey, cuyos poemas habían sido publicados poco antes de nacer él, y pastorales como las del nuevo talento literario, Spenser. En los dos años siguientes, el adolescente de ojos castaños y cabello rojizo oscuro –si hemos de fiarnos del colorido de su monumento funerario– se transformó en un joven «hermoso y bien formado», exactamente el joven que podría conquistar el corazón de una mujer.

Al otro lado de los prados del borde occidental de Stratford estaban el pueblo de Shottery y la casa de labor, con techo de bardas, en la que vivía Richard Hathaway con su segunda esposa y

Edwin Smith

muchos hijos. Richard murió en 1581. Volvemos a tener noticias de esta familia cuando la hija mayor, Anne, recibe una proposición para casarse con «William Shagspere». Es posible que el ardiente y frustrado joven de dieciocho años se hubiera encaprichado de esta mujer, que era ocho años mayor que él; pero Anne, cuyas oportunidades de casarse disminuían rápidamente, nada hizo por desanimarle. En noviembre de 1582, no podía ocultar ya que estaba embarazada y Shakespeare tuvo que pedirle al obispo de Worscester una licencia especial para poder casarse con una sola amonestación. El empleado que inscribió la concesión de la licencia se hizo un lío con los nombres y escribió que era para «Willielmum Shaxpere y Annam Whateley de Temple Grafton». Era un error muy explicable, porque el mismo día había tenido lugar un pleito, una de cuyas partes era un tal William Whateley; y prueba que fue una equivocación el hecho de que al día siguiente –28 de noviembre– figura el testimonio de dos granjeros de Shottery declarando que el obispo quedaba libre de toda responsabilidad si surgían dificultades por la precipitación con que se había celebrado el matrimonio. Este procedimiento era normal, ya que como Shakespeare era aún me-

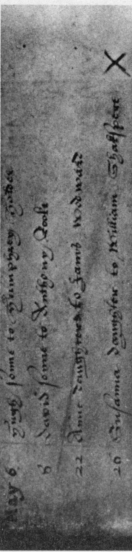

May 6   Jude Sonne to Bumpasg Gilles

6   David Sonne to Anthony Rocke

22   Anne Daughter to James Wedmall

26   Susanna Daughter to William Shakspear

11   William Sonne to Edward Williams

February 2   Samuel & Judeth Sonne & Daughter to William Shakspere

3   Margaret Daughter to Bugh Pyggett

Fragmentos de documentos oficiales relacionados con Shakespeare: acta de validación de su matrimonio (Diocesan Registry, Worcester) y registro del nacimiento de sus hijos (Trustees of Shakespeare's Birthplace).

nor, necesitaba tales garantías. La boda debió de celebrarse pocos días después, probablemente en el pueblo que había indicado el escribano –Temple Grafton, más allá de Shottery–, para eludir la curiosidad de la gente.

Según la costumbre de la época, Anne tendría que vivir en Henley Street con la familia de su marido –John y Mary Shakespeare–, y allí nació su hija Susanna en mayo de 1583. Su esposo parecía condenado a pasarse la vida como pequeño comerciante en Stratford. Bien es verdad que su hermano Gilbert tenía ya suficiente edad para ocupar el puesto de William en el negocio familiar, pero éste estaba ya casado –o quizá «cazado»– y cuando en febrero de 1585 fueron bautizados «Hamnet y Judith, hijo e hija de William Shakespeare», parecía no haber ya escapatoria posible. Sin embargo, la hubo.

# 2. Shakespeare en Londres: primeros pasos en el teatro

Existe la tradición –creada más tarde– de que sir Thomas Lucy de Charlecote obligó a William a «huir de su tierra natal» porque le sorprendió cazando ciervos en su parque, pintoresca aunque improbable historia, basada quizá en alguna pequeña infracción. Y también se ha venido diciendo que durante algún tiempo fue «maestro de escuela en el campo», según algunos en Dursley, en los Cotswolds del sur, y según otros, en Rufford (Lancashire). No faltan quienes opinan que marchó a los Países Bajos con el cuerpo expedicionario mandado por Leicester, cuando había ya guerra abierta con España en 1585; o, lo más probable de todo, a Italia. Quizá se fuera a Londres al no poder soportar más la vida vulgar y monótona a la que estaba atado. Todos los años dos o tres compañías de comediantes visitaban Stratford, entre ellas la de Worcester con su nuevo hallazgo, Edward Alleyn, dos años más joven que Shakespeare. Y cuando, en 1587, llegaron cinco compañías, la atracción de Londres debió de resultar irresistible para William. Este fue el año en que su coetáneo de Stratford, Richard Field, que fue durante mucho tiempo aprendiz de un impresor de Londres, se casó con la viuda de su maestro y se hizo cargo del negocio. Es posible que Field le buscase algún trabajo. De todos modos, lo cierto es que Shakespeare se marchó a la capital en 1587, dejando a su mujer y a sus hijos al cuidado de sus padres. Por entonces, a su padre le iban mal las cosas, pues acababan de destituirle de su cargo en la corporación municipal, que no atendía desde hacía muchos años, y estaba procesado por una deuda de su hermano Henry, ya que le había avalado un préstamo. De todos modos, Gilbert tenía ya veintiún años, y Joan, de dieciocho, estaba en condiciones de aportar una gran ayuda en la casa. William tenía veintitrés años.

Había dos caminos para ir desde Stratford a Londres. Después de cruzar el puente de Clopton, William podía torcer a la derecha en dirección a Oxford; o podía ir directamente, a través de Banbury y Grendon, donde, según se dice, conoció al guardia que le sirvió de

Vista de Hampton Lucy desde el parque de Charlecote, escenario, según la leyenda, de las andanzas de Shakespeare como cazador furtivo.

Plano de Westminster en la época en que llegó Shakespeare, 1587. Tomado de Speculum Britanniae, de John Norden. British Museum, Londres.

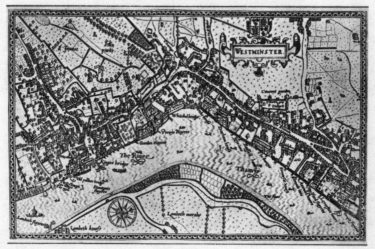

modelo para Dogberry. Los dos caminos convergían poco antes de llegar a Westminster, sede del gobierno central y lugar donde los grandes nobles tenían sus casas. Mientras avanzaba hacia la capital, pasaría entre el antiguo palacio y la abadía, y bajo las puertas que unían el palacio de Whitehall, residencia principal de la reina, con su prolongación en la otra parte del camino. En Charing Cross tornaría hacia el este por el Strand, dejando a un lado Convent Garden y el campo abierto, y al otro las grandes casas que bordean el río: York House, Durham House, Somerset House y Leicester House, que debieron de hacerle pensar en Kenilworth. Luego venían los Inns of Court, con colegios universitarios como Gray's Inn, Middle Temple, Inner Temple, etc., donde los abogados aprendían su profesión y la aristocracia a administrar sus fincas; finalmente, por Ludgate se entraba ya en la ciudad.

Westminster era espléndido y espacioso, aunque ya William había visto algo parecido en Oxford. Pero nunca había estado en una ciudad como en la que ahora penetraba, una ciudad de ciento cincuenta mil habitantes, la mayoría de ellos apiñados dentro de las murallas, aunque los suburbios del norte crecían rápidamente. Las casas de ladrillo y madera de los mercaderes y tenderos le eran familiares, pero lo que le resultaba inesperado e impresionante era el tamaño del lugar, un sitio tan grande o por lo menos tan poblado como un centenar de *Stratfords*. La vía principal subía por la colina de Ludgate, desde la que podía verse la ruinosa construcción medieval de San Pablo, cuya aguja se había caído hacía años y donde habían enterrado recientemente a sir Phillip Sidney. Luego, a lo largo de Cheapside y Cornhill, se pasaba a la calle Gracious, que cruzaba la ciudad de norte a sur y era la calle en que estaban las grandes posadas, como la de *Boar's Head*, en cuyos patios se representaban aún comedias. Si William se dirigía hacia el norte, no tardaría en hallarse en Bishopsgate, en dirección a los locales suburbiales del *Curtain* y *El Teatro*; y si iba hacia el sur, llegaría al río y al puente de Londres. Este era el único puente que cruzaba el Támesis, tenía muchos ojos y por encima de él se alineaban casas altas formando otra calle. Hacia abajo quedaban la Torre y el puerto de Londres, ya que sólo las embarcaciones pequeñas podían pasar bajo el puente. En el extremo sur, clavadas en pértigas, tal vez podrían verse las cabezas de los traidores ejecutados al descubrirse la conspiración católica más reciente.

◄ *Dos vistas de Londres en el siglo XVI. En la imagen superior aparecen señaladas las grandes mansiones que bordean el río. British Museum, Londres.*

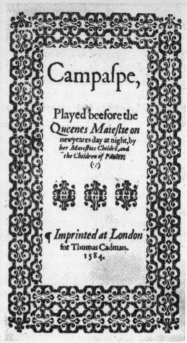

María Estuardo, reina de Escocia, ejecutada poco antes de la llegada de Shakespeare a Londres. Retrato atribuido a P. Oudry. National Portrait Gallery, Londres. Derecha, portada de la primera comedia de Lyly representada en la corte. British Museum, Londres.

Shakespeare había llegado a Londres en uno de los momentos más apasionantes de la historia de la ciudad. Una conjura se proponía asesinar a Isabel, rescatar a María Estuardo, reina de los escoceses, y hacerla subir al trono con la ayuda de España. Aunque a disgusto, Isabel había accedido a declarar que su prima María era demasiado peligrosa para seguir viviendo y en febrero la habían ejecutado. Se planteaba así un serio peligro de guerra, pues a pesar del audaz ataque de Drake contra Cádiz, Felipe II construía una armada que partiría el año siguiente, o tal vez aquel mismo año, y Londres se preparaba urgentemente para defenderse de la invasión.

El año 1587 iba a resultar también uno de los más importantes en lahistoria del teatro. Si Shakespeare cruzaba el río en Southwark y pasaba ante la iglesia de Saint Mary Overy, llegaría a Bankside, zona de prisiones y burdeles donde podría ver —y oler— el Beargarden, y encontraría un edificio cilíndrico similar, cuya cons-

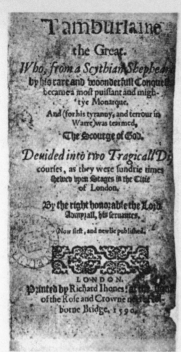

Portada de *Tamerlán* de Marlowe, una de las primeras obras de teatro que Shakespeare vio en Londres. Bodleian Library, Oxford. *Derecha, retrato de este autor.*

trucción estaba siendo terminada: el teatro de *La Rosa*. Era obra de Phillip Henslowe, un prestamista muy emprendedor y nada escrupuloso que preveía un provechoso futuro para el negocio teatral. Y tenía buenas razones para ello. Ahora había un buen número de acreditadas compañías de actores cuya capacidad interpretativa mejoraba rápidamente, y hacía muy poco que la propia reina había tomado bajo su protección a una compañía de doce personas, compuesta por doce de los mejores actores disponibles. Pero aún más importante: había surgido un grupo de jóvenes universitarios que escribían obras teatrales realmente merecedoras de este nombre, pues no eran ya meros entretenimientos burdos. Estaba John Lyly, de Oxford, que había escrito varias comedias «sofisticadas» para la compañía infantil de Blackfriars. Es cierto que el pequeño teatro privado de ésta había sido cerrado hacía poco –tanto mejor para el de *La Rosa*–, pero Lyly era muy estimado por la reina y seguía escribiendo para los Niños de San Pablo, que representaban en su escuela de canto, cerca de la catedral, así como en la corte. Había además otro hombre de Oxford –aunque menos respetable–, George Peele, y el brillante Robert Greene, de Cambridge. Henslowe quizá conociese ya al coetáneo de Peele, Thomas Lodge, de Oxford, y al joven amigo de Greene, Christopher Marlowe, que acababa de llegar de Cambridge con el manuscrito de una comedia en el bolsillo. Y es muy probable que en el recién abierto teatro de *La Rosa*, pocos meses después, Shakespeare conociera a Edward Alleyn, primer actor de la compañía del Almirante, y tal vez le viera interpretar *Tamerlán*. Si fue así, esto tuvo que influir positivamente en la dedicación de William al teatro. Otra revelación sería la de oír declamar a Alleyn las obras de Marlowe, con las que nacía el moderno teatro inglés.

Cualesquiera que fueran los motivos que llevaron a Shakespeare a Londres, ya se daba cuenta de que su verdadera vocación era escribir para el teatro, lo que significaba que la poesía que él anhelaba componer sería la «materia prima» de su nueva profesión. Pero primero debía escribir esas obras y, mientras tanto, tenía que ganarse la vida. Indudablemente, el procedimiento más adecuado era ingresar en una compañía de actores, pues así podría aprender el oficio desde dentro y a la vez disponer de un mercado para su género.

Una compañía de actores consistía en unos ocho hombres, todos los cuales invertían dinero en un fondo común de obras y equipo, repartiéndose las ganancias en proporción a sus inversiones, de ahí su nombre de «accionistas» o, de un modo más pintoresco, «aventureros máximos». Contaban también con dos o tres aprendices, unos chicos a los que enseñaban a interpretar los papeles de mujer, pues tendría que pasar todavía casi un siglo para que las mujeres pudieran actuar en los escenarios públicos ingleses. Para los papeles secundarios pagaban a algunos noveles o a veteranos que no tenían dinero para invertir. Y fue de «contratado» como Shakespeare encontró su primer trabajo, probablemente en la compañía de la Reina, que era precisamente el grupo para el que entonces empezaba a escribir Robert Greene.

Durante algunos años, como era de esperar, no sabemos nada del oscuro actor y aspirante a dramaturgo y debemos imaginárnoslo dedicado a arreglar y escribir de nuevo viejas comedias para su compañía –lo que le serviría al mismo tiempo como entrenamiento para su obra original–, cuando no estaba ocupado ensayando o representando los muchos papeles que había de aprender, pues todas las tardes la compañía ponía en escena una obra diferente, y cada quince días, más o menos, estrenaban una que añadían al

*La reina Isabel, a los 59 años, después de la derrota de la Armada Invencible. Retrato de autor desconocido. National Portrait Gallery, Londres.*

*Tapiz de la Cámara de los Lores referido a la Armada Invencible. British Museum, Londres.*

repertorio. En la primavera actuaban en uno de los teatros públicos, generalmente en *El Teatro*; en el verano iban de gira –en 1589 llegaron hasta Carlisle–, regresando luego a su teatro de Londres para la temporada de otoño, antes de retirarse a una de las posadas de Gracious Street, donde pasaban el rigor del invierno ensayando las nuevas obras que habían de representar en la corte.

La formación de un actor en una de estas compañías –y la de la Reina era la más favorecida– se basaba en una educación liberal. Aparte de los viajes, era inevitable que los actores tratasen a los poetas que escribían sus comedias y que conociesen a los nobles y, en general, a las personas distinguidas que frecuentaban su teatro y a veces les invitaban a representar en los espaciosos comedores de sus casas. Luego, en navidades, actuaban ante la propia reina. Los Court Revels (fiestas de la corte) comenzaban el 26 de diciembre y alcanzaban su momento culminante en la «duodécima noche» (es decir, la de la Epifanía). En estos doce días de navidades se representaban cuatro o cinco obras, seguidas por otras dos o tres antes de empezar la cuaresma. Entre 1587 y 1592, los Hombres de la Reina dieron unas catorce representaciones en la corte, muchas

*Escena de San Jorge y el dragón perteneciente a la edición príncipe de* La reina de las hadas *(1590) y portada de la primera edición de* La tragedia española *(1592). British Museum, Londres.*

más que las demás compañías. Aunque Shakespeare llegara a Londres sin una excesiva formación, no tardaría mucho en encontrarse a sus anchas en la vida intelectual y cortesana de la capital y por eso no tendría dificultad para retratar a esa sociedad en sus obras teatrales.

Entre tanto, había empezado una nueva era. La Armada Invencible había sido destruida y el dominio español en el Nuevo Mundo no era ya tan absoluto. Leicester había muerto; su hijastro, el hermoso y joven conde de Essex, se convertía en favorito de la reina envejecida y eclipsaba totalmente al otro favorito, sir Walter Raleigh. Y como para celebrar estos cambios, floreció de pronto la literatura inglesa. *La Arcadia* y los sonetos de Sidney, así como los tres primeros libros de *La reina de las hadas*, de Spenser, se habían publicado al mismo tiempo que se producía en el teatro una revolución dramática con Marlowe y el resto de los «ingenios de la universidad», a los que ahora se añadía Tom Nashe. Además, apareció *La tragedia española*, con sus fantasmas, venganza y sangre, drama que había de resultar tan popular y permanente como *Tamerlán*, *Faustus* y *El judío de Malta*, de Marlowe.

# 3. Las primeras obras teatrales y los poemas

Por entonces, ya había terminado la carrera meteórica de Greene. En septiembre de 1592, consumido por sus excesos, yacía Greene moribundo en casa de un pobre zapatero donde escribió su *Un céntimo de ingenio*, fragmento autobiográfico dirigido a sus colegas dramaturgos, Marlowe, Nashe y Peele, implorándoles que aprendieran con su ejemplo y no malgastaran su ingenio escribiendo obras teatrales de las que sólo se beneficiaban los cómicos: marionetas, tipos grotescos, graciosos. Pero esto no era todo. Había un joven actor sin estudios y sin educación de caballero, un engreído «sacudescena» *(Shakescene)* que había tenido la auda-

*El ataque de Robert Greene contra «Sacudescena», juego de palabras con Shake-spear («blande-lanza»). British Museum, Londres.*

*En el Diario de Henslowe, 1591 —que en* ▶ *realidad es un libro de cuentas en el que éste anotaba los ingresos de taquilla— aparece la primera referencia escrita a la representación de una obra de Shakespeare. Dulwich College.*

cia de hacerse pasar por dramaturgo y escribir obras que el público prefería a las de él, el gran Greene. La alusión es inconfundible. Se trataba de Shakespeare, pues la frase «corazón de tigre con piel de comediante» que aparece en el escrito de Greene es una parodia de un verso de la tercera parte de *Enrique VI*. El duque de York se dirige a su carcelera, la reina Margarita:

> *¡Oh corazón de tigre envuelto en piel de mujer!*
> *¿Cómo pudiste sacarle al niño la sangre vital*
> *para hacer que el padre se enjugase con ella los ojos,*
> *y dejar que te vean con rostro de mujer?*
> *Las mujeres son dulces, tiernas, compasivas y flexibles;*
> *tú, rígida, terca, pétrea y sin remordimiento.*
> *¿Era tu afán enfurecerme? Tienes ya cuanto querías.*
> *¿Acaso deseabas verme llorar? También lo conseguiste,*
> *porque el viento rabioso prepara incesantes aguaceros*
> *y, cuando se calma su furia, comienza la lluvia.*

Estos versos, hinchados, retóricos y sentenciosos, son un buen ejemplo del estilo de la primera época de Shakespeare, modelado, como cabía esperar, en el de Marlowe.

De modo que a finales de 1592, Shakespeare había escrito ya

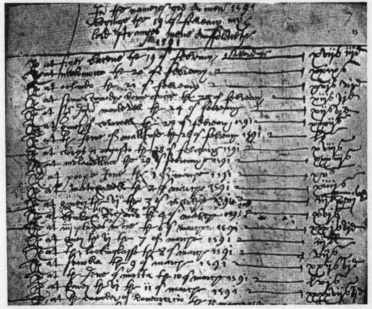

presence : than which, what can be a sharper reproofe to these degenerate effeminate dayes of ours.

How would it haue ioyed braue Talbot (the terror of the French) to thinke that after he had lyne two hundred yeares in his Tombe, hee should triumphe againe on the Stage, and haue his bones newe embalmed with the teares of ten thousand spectators at least, (at seuerall times) who in the Tragedian that represents his person, imagine they behold him fresh bleeding.

I will defend it against any Collian, or clubfisted Vsurer of them all, there is no immortalitie, can be giuen a man on earth

F 3                                                                        like

*Página de la edición príncipe de* Pierce Penilesse, *1592. British Museum, Londres.*

*Apología de Shakespeare en* Kind-Harts Dreame, *1592. British Museum, Londres.* ▶

las tres partes de *Enrique VI* y se había granjeado una gran fama de dramaturgo. Está claro que era ya popular, como se deduce de las cuentas de Henslowe cuando la compañía de lord Strange representó la primera parte de *Enrique VI* en el teatro de *La Rosa* en marzo del año anterior. William cobró tres libras, dieciséis chelines y ocho peniques; fue el que más ganó esa temporada, y su popularidad queda reflejada en el pasaje de *Pierce Penilesse*, de Nashe, donde se describe el efecto de las escenas de Talbot. Evidentemente los de Strange habían comprado parte del fondo de la compañía de la Reina, pues representaron tres de las obras de Greene, todas ellas lamentables fracasos económicos.

Era natural que Shakespeare se ofendiera por el ataque de Greene. Protestó al editor del *Groatsworth of Wit*, Henry Chettle, el cual quiso conocerle y, después, en el prólogo a su *Kind-Harts Dreame*, se disculpó por haber dejado el pasaje en cuestión. Es la primera descripción que tenemos de Shakespeare, que entonces contaba veintiocho años y resultaba muy atractivo: un hombre cortés, recto, bien considerado por los que tenían autoridad; actor excelente y estupendo escritor.

Los peores enemigos de los comediantes eran los puritanos y la peste. A los puritanos, bien atrincherados en la corporación de la ciudad, les hubiera gustado que se arrasaran todos los teatros y se flagelara a los prósperos y vanidosos actores, para obligarles después a trabajar en «algo de provecho»; pero, en vista de que la reina protegía abiertamente a los cómicos, la oposición puritana tuvo que

## To the Gentlemen Readers.

*fory, as if the originall fault had beene my fault,
becauſe my ſelfe haue ſeene his demeanor no leſſe
ciuill than he excelent in the qualitie he profeſſes:
Beſides, diuers of worſhip haue reported, his vp-
rightnes of dealing, which argues his honeſty, and
his facetious grace in writting, that aprooues his
Art. For the firſt, whoſe learning I reuerence,
and at the peruſing of Greenes Booke, ſtroke out
what then in conſcience I thought he in ſome diſ-
pleaſure writ : or had it beene true, yet to publiſh*

ponerse a la defensiva. Lo máximo que Isabel y su consejo privado consentían era cerrar los teatros en tiempos de peste, de la que Londres se había visto libre en los últimos diez años. No hubo ninguna epidemia grave desde el año anterior al del nacimiento de Shakespeare, pero en el verano de 1592 la temida enfermedad volvió a hacer su aparición y en los momentos de mayor intensidad se cobró mil víctimas en una sola semana. Se cerraron los teatros y las compañías recorrían las provincias soportando situaciones lamentables. El invierno no trajo alivio alguno y el año 1593 fue aún peor. Por fin, en 1594 volvieron a abrirse los teatros.

¿Qué hizo Shakespeare durante esos dos años? Podemos suponer que por entonces era ya «accionista» y no un mero contratado, pero no hay testimonio de que saliese a provincias con ninguna de las compañías. Un simple actor no podía hacer otra cosa en tales circunstancias, pero Shakespeare era ya fundamentalmente un autor y probablemente ganaría más escribiendo. En Stratford tenía a su mujer y a sus tres hijos pequeños, a los que había visto poco en los últimos cinco años, y podemos estar seguros de que pasaría con ellos la mayor parte del tiempo que duró la epidemia. Los Hombres de la Reina se marcharon a Stratford en cuanto empezó la peste, y probablemente William los acompañase y allí se separaría de ellos, prometiendo regresar a la compañía cuando volvieran a abrirse los teatros.

Es también probable que su padre estuviera aún en apuros (recientemente le habían incluido en una lista por no haber dado

*Comedor de la casa de Shakespeare en Stratford (arriba) y banco en el que el escritor acostumbraba sentarse.*

dinero a la Iglesia reformada) y bajo la amenaza de un proceso por deudas. Sin embargo, esto es lo último que sabemos de sus desgracias económicas, probablemente porque su hijo podría ayudarle, ya que ganaba bastante dinero. Fueron años de mucha actividad para el joven dramaturgo. Había escrito ya *Ricardo III* –su primer gran personaje–, terminando así la trilogía de *Enrique VI*, y era natural que en su felicidad reencontrada volviese a la poesía lírica y la comedia. *La comedia de las equivocaciones, La fierecilla domada* y *Los dos caballeros de Verona* pertenecen a este período idílico, al igual que los primeros sonetos y los dos poemas largos *Venus y Adonis* y *La violación de Lucrecia*. Como a Marlowe, le seguía interesando primordialmente la poesía y el acontecimiento cuando contaba una historia trágica, terrible, cómica o amorosa. Su actitud para con sus personajes, por lo menos respecto a los serios, es de distanciamiento y hay una cierta dureza e insensibilidad en la forma con que mueve sus muñecos y los hace hablar y sufrir. En resumen, era un joven poeta sano, feliz y triunfante, de sólo treinta años. Pero la influencia de Marlowe sobre él fue disminuyendo y la peculiar música marcial y casi brutal del verso de su maestro se fue transformando en una medida más flexible y rítmica, incluso en el *Ricardo III*:

> *Y ahora, en vez de montar bélicos corceles*
> *y espantar las almas de medrosos enemigos,*
> *brinca ágilmente en el dormitorio de una dama,*
> *al suave y lascivo encanto de un laúd.*

*Venus y Adonis*, la primera obra de Shakespeare publicada, fue bellamente impresa por su amigo Richard Field en 1593, y obtuvo tan buen éxito que se hicieron de ella nueve ediciones en igual número de años. Todos los autores trataban de encontrar un mecenas y por eso William dedicó esperanzadamente su poema a Henry Wriothesley, conde de Southampton, rico e influyente joven de veinte años, prometiéndole una «labor más seria» si esa poética y amorosa narración era de su agrado. Así fue, y al año siguiente Field imprimió *La violación de Lucrecia* con otra dedicatoria a Southampton.

Fue la publicación de los sonetos de Sidney lo que impulsó a Shakespeare a probar esta nueva forma poética; y, como en Sidney, su historia se desarrolla oscuramente a lo largo del libro. Sus versos van dirigidos principalmente a un bello joven que le roba su querida, una mujer morena, casada, y luego favorece a otro poeta. Probablemente, se trata de una historia casi tan mítica como la de

Portada de Venus and Adonis, *primera obra de Shakespeare que se publicó, y dedicatoria de* The Rape of Lucrece, *el otro poema largo del autor. British Museum, Londres, y Bodleian Library, Oxford.*

Henry Wriothesley, tercer conde de Southampton, uno de los posibles destinatarios de la dedicatoria que aparece en los Sonnets de Shakespeare. Welbeck Abbey.

TO.THE.ONLIE.BEGETTER.OF.
THESE.INSVING.SONNETS.
Mr.W.H. ALL.HAPPINESSE.
AND.THAT.ETERNITIE.
PROMISED.

BY.

OVR.EVER-LIVING.POET.

WISHETH.

THE.WELL-WISHING.
ADVENTVRER.IN.
SETTING.
FORTH.

T. T.

*Retrato de William Herbert, conde de Pembroke (Wilton House), otro de los posibles «W. H» de la dedicatoria de los* Sonnets *(British Museum, Londres).*

*Venus y Adonis*, poco más que un marco para sostener las meditaciones del poeta sobre el amor y la amistad. Pero cuando se imprimieron los *Sonetos*, quince años después, el editor añadió una enigmática dedicatoria a «Mr. W.H.». Y la pregunta sobre la identidad de este W.H., de la dama morena y del poeta rival ha intrigado sobremanera a muchos a lo largo de estos siglos. No hay indicios suficientes para saber quiénes eran la dama y el poeta —Chapman es el único en quien se puede pensar—, pero en cambio es tentador creer que W.H. son las iniciales invertidas de Henry Wriothesley y que, por tanto, el mecenas de Shakespeare fue el «causante» o inspirador de los sonetos. Algunos se refieren a un noble mucho más joven, William Herbert, futuro conde de Pembroke, que tenía sólo doce años en 1592. Es muy posible, porque Shakespeare quizá conociera a la madre de Pembroke, que era hermana de Sidney y visitaba su casa en Wilton, frecuentada en aquella época por tantos poetas. Pero hay otra posibilidad. En 1594, Henry Willoughby, estudiante de Oxford, publicó *Willobie his Avisa*, poema en el que lamenta su amor no correspondido por la virtuosa Avisa. En la introducción en prosa a uno de sus cantos, H.W. cuenta que confió sus penas a su «familiar amigo W.S.», un «experto jugador» en el juego del amor que acababa de recuperarse de una pasión similar. Quizá este H.W. sea Mr. W. H. y, de esta forma, la referen-

# In praise of Willobie his Auisa, Hexameton to the Author.

IN Lauine Land though Liuie bost,
  There hath beene seene a Constant dame:
  Though Rome lament that she haue lost
The Gareland of her rarest fame,
    Yet now we see, that here is found,
    As great a Faith in English ground.

Though Collatine haue deerely bought,
To high renowne, a lasting life,
And found, that most in vaine haue sought,
To haue a Faire, and Constant wife,
    Yet Tarquyne pluckt his glistering grape,
    And Shake-speare, paints poore Lucrece rape.

## CANT. XLIIII.

### Henrico Willobego. Italo-Hispalensis.

H. W. being sodenly infected with the contagion of a fantasticall fit, at the first sight of *A*, pyneth a while in secret griefe, at length not able any longer to indure the burning heate of so seruent a humour, bewrayeth the secresy of his disease vnto his familiar frend W. S. who not long before had tryed the curtesy

cia a Shakespeare y a su asunto con la dama morena se vuelve un poco más verosímil por la mención de *La violación de Lucrecia* en la dedicatoria en verso que antecede al poema. Por lo menos ese verso tiene el mérito de ser la primera referencia literaria y nominal a Shakespeare. Pero la hipótesis no es muy convincente y, si W.H. era realmente amigo de Shakespeare, podría ser cualquiera de un centenar de jóvenes de los que nunca hemos oído hablar. Más prosaicamente, quizá fuera sencillamente el hombre que se hizo con una copia manuscrita de los sonetos para que Thomas Thorpe los publicara sin permiso de Shakespeare.

La piratería literaria era muy corriente en los días de Shakespeare, en los que no existía el *copyright* en el sentido actual de la palabra. Todos los libros, obras teatrales y folletos se suponía que debían ser inscritos en el Registro de Libreros, que protegía al editor para que cobrase sus seis peniques por libro e impedía toda infracción de sus derechos; pero nadie protegía al desventurado autor ni a la compañía a los que aquél hubiera vendido una obra —normalmente por cinco o seis libras— de cualquier editor falto de escrúpulos que se las arreglara para conseguir una copia. Por tanto,

◀ Willobie his Avisa, *1594, de Henry Willoughby, contiene la primera referencia literaria y nominal a Shakespeare. Su autor, que por matrimonio estaba emparentado con uno de los albaceas del testamento de Shakespeare, es otro de los candidatos a tener en cuenta en el enigma de la dedicatoria de los sonetos.*

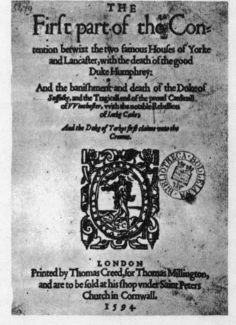

*El* quarto *«malo» de la segunda parte de* Enrique VI, *1594, una de las primeras obras teatrales de Shakespeare publicadas. Bodleian Library, Oxford.*

las compañías tenían un gran cuidado para que los manuscritos de las comedias no fueran «pirateados» y, por lo general, sólo hacían una copia; pero a veces un actor se aprendía de memoria un texto lo mejor que podía, lo escribía luego y lo vendía a un editor que publicaba esta versión deformada como si fuera la obra genuina. Esto sucedió en 1594 con la segunda parte de *Enrique VI*, publicada con el título de *Primera parte de la contienda*. Las comedias se publicaban normalmente *in quarto,* término referente al tamaño de la página impresa, y estos textos alterados llevan el nombre de *quartos* «malos». Por lo menos hay seis *quartos* shakespearianos «malos», el más famoso de los cuales es *Hamlet*.

Cuando venían malos tiempos las compañías se veían obligadas a vender parte de su repertorio, y así salió al mercado *Titus Andronicus*, que probablemente apareció poco antes de la segunda parte de *Enrique VI*, siendo así la primera obra teatral de Shakespeare publicada. En efecto, los tiempos eran muy malos en 1594. La peste había diezmado las compañías. La del conde de Pembroke tuvo que empeñar sus trajes; la de la Reina quebró y se convirtió en una *troupe* de segunda categoría, de comediantes provincianos; y las únicas compañías que capearon el temporal fueron la del Almirante (es decir, la del lord almirante Howard, que había mandado la flota inglesa contra la Armada Invencible) y la del conde de

*Ilustración para* Titus Andronicus, *realizada probablemente por* Henry Peacham. *Se refiere a la primera escena de la obra:* «Tamora suplicando misericordia para su hijo, que va a ser ejecutado». *Tomado de* Harley Papers.

Marqués de Bath, Longleat

Derby, que antes fue la de lord Strange. Derby murió en la primavera, pero su compañía había hallado otro mecenas, lord Hunsdon, el cual, por su cargo de lord chambelán o camarlengo, era el responsable de los asuntos teatrales y de la presentación de las comedias en la corte. Como también era el primo favorito de Isabel, no podían haber encontrado otro protector mejor situado.

*Retrato de Henry Carey (1524-1596), el lord chambelán Hunsdon, sobrino de Ana Bolena. British Museum, Londres.*

# 4. La compañía del Chambelán

Cuando los teatros volvieron a abrirse, Shakespeare sólo podía elegir entre dos compañías. Aunque ambas hubieran estado muy satisfechas de poder contar con sus nuevas obras, prefirió la del Chambelán. En ella iba a permanecer durante el resto de su carrera. Otros miembros de aquella inmortal agrupación eran John Heminge —que por lo visto había sido colega de Shakespeare en la compañía de la Reina—, el músico Augustine Phillips, el famoso bailarín Will Kempe, también comediante, Henry Condell y Richard Burbage, hijo menor de James Burbage, dueño de *El Teatro*. Así, la compañía del Chambelán actuó en *El Teatro* en el húmedo verano de 1594, mientras sus rivales, los del Almirante, dirigidos por Henslowe y su nuevo yerno Edward Alleyn, volvieron a instalarse en el teatro de *La Rosa*, a la otra orilla del río. Shakespeare se alojó cerca de *El Teatro*, en los alrededores de Bishopsgate.

William tuvo que encontrar muy cambiada la vida teatral, pues durante los años de la peste no sólo se habían transformado por completo las compañías de actores, sino que habían desaparecido los hombres que realizaron la primera etapa de la revolución teatral. Greene murió en 1592, un año después mataron a Marlowe en una pelea y Kyd también había muerto. Peele estaba moribundo y Lodge se había convertido en un aventurero y ya no escribía para la escena. Lyly no había vuelto a escribir desde que los Niños de San Pablo dejaron de representar, tres años antes, y Nashe era más un panfletario que un dramaturgo. A la edad de treinta años, Shakespeare se quedaba sin rivales más importantes que Chettle y Anthony Munday.

Se trataba de una grave situación para Henslowe, que ahora era virtualmente el único propietario de la compañía del Almirante y de su fondo. Su autor había sido Marlowe y, aunque podía seguir representando su media docena de obras, tendría que encontrar gente nueva que le surtiera de material de repuesto, si quería competir con Shakespeare y con los del Chambelán. Se le ocurrió una solución brillante desde el punto de vista comercial. Menos interesado por la calidad que por la cantidad, deseando ante todo disponer de nuevas comedias para sustituirlas con rapidez, instaló una especie de taller teatral hacia el que atrajo, con el cebo de un empleo fijo, a los poetas necesitados, aunque el sueldo no era

◀ *Will Kempe bailando un «morris», según el dibujo de la portada de su obra* Nine Days' Wonder, *1600. Bodleian Library, Oxford.*

*Richard Burbage (aprox. 1568-1619). Junto con Alleyn, fue uno de los mejores actores de su época. Dulwich College.*

excesivo. De este modo consiguió la colaboración de Munday y Chettle, de dos de los coetáneos de Shakespeare –Chapman y Drayton, verdaderos poetas, aunque sin una capacidad especial para escribir teatro– y de un buen número de jóvenes de veintitantos años; es decir, una segunda generación que podía sustituir a los llamados «ingenios de la universidad» y en la que se incluían Thomas Heywood, Thomas Dekker, Ben Jonson y John Marston. Puso a trabajar a este equipo en la producción masiva de obras teatrales, concentrándose cada uno en lo que mejor sabía hacer: tragedia, comedia, obras sentimentales, etc. Munday, dotado de grandes facultades para la concepción de tramas ingeniosas, parece que fue el director del grupo.

Una de las obras «fabricadas» por Munday y sus hombres –o por lo menos por dos de ellos, Chettle y Heywood– fue *Sir Thomas More*, pero fue censurada y devuelta para su corrección. Munday recurrió a otros dos de su grupo: uno de ellos Dekker, y el otro, un autor desconocido que compuso tres nuevas páginas describiendo la pacificación de un motín por More. Estas tres páginas son de la mayor importancia, pues algunos eruditos creen que el autor desconocido fue Shakespeare y que la escritura del manuscrito es la

◀ *Edward Alleyn (1566-1626), de la compañía del Almirante, intérprete de los héroes trágicos de Marlowe; y el poeta Michael Dryton (1563-1631), amigo de Shakespeare y frecuente visitante de Stratford.*

*George Chapman (aprox. 1559-1634), tal vez el poeta rival de los Sonetos de Shakespeare.*

suya. De ser así, el manuscrito constituye una ayuda incalculable para la corrección de errores en los textos impresos de sus obras, pues permite comprender la clase de faltas que un impresor podía cometer al trabajar con ese original en el que, por ejemplo, se confunden fácilmente las letras *e*, *o* y *d*. Es probable que esa escritura sea efectivamente la de Shakespeare, pero todo depende de la comparación con las muestras auténticas de su letra, y sólo tenemos seis de éstas, todas ellas firmas hechas por el autor unos veinte años después.

Por otra parte, parece improbable que Shakespeare ayudara a revisar una comedia de la compañía del Almirante producida como un «contraataque» a la labor que él mismo realizaba para la compañía del Chambelán.

Que William trabajaba para los del Chambelán nos lo demuestra documentalmente el hecho de que fue uno de los que cobraron en esa compañía –al igual que Kempe y Burbage– por dos representaciones en la corte durante las navidades de 1594. Incluyendo la espléndida propina habitual dejada por la reina cuando asistía a las funciones, recibieron más de veinte libras, envidiable suma para ser repartida entre ocho personas, incluso después de pagar a los

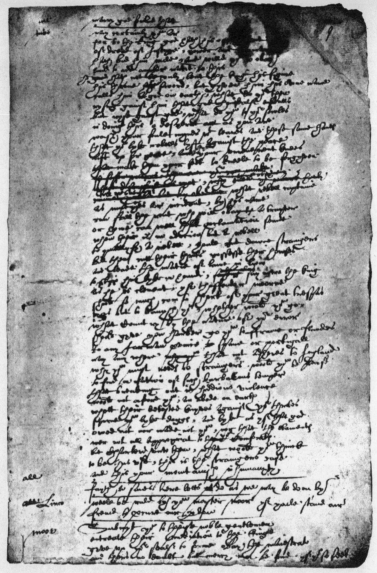

Una página de Sir Thomas More, posiblemente manuscrito por Shakespeare. British Museum, Londres.

La sala de la Gray's Inn, donde se representó The Comedy of Errors en diciembre ▶ de 1594.

actores contratados, a los muchachos y los trajes. Habría otros gastos, pero pocos, pues el Revels Office les proporcionaba todos los objetos que necesitaban, incluyendo los listones de madera y las «mansiones» de lona que servían de decorado como en el teatro medieval. Una de sus «comedias o *interludes*» sería con seguridad *La comedia de las equivocaciones*, que representaron la noche siguiente en la sala de la Gray's Inn. Esta fue la «Gran Noche» de la Gray's Inn, a la que invitaron a sus vecinos del Inner Temple, resultando el festival tan alborotado que al día siguiente se celebró un simulacro de juicio en el que un brujo era condenado como culpable de haber traído «una compañía de tipos vulgares que promovieron disturbios con una comedia de errores y confusión».

Aunque la compañía del Almirante dio aquellas navidades tantas representaciones en la corte como la del Chambelán, al año

siguiente perdió terreno y en 1596 estaba completamente eclipsada, pues los del Chambelán dieron las seis funciones. La vena lírica de Shakespeare parecía inagotable, y la comedia, la tragedia y la historia teatralizada brotaban de su pluma con espléndida facilidad, repletas de la elevada poesía de los sonetos. ¿Qué podía ofrecer la compañía del Almirante frente a *Trabajos de amor perdidos, Sueño de una noche de verano, Romeo y Julieta y Ricardo II*? ¿Y cómo podían competir sus autores con un poema como éste?:

*Porque el laúd de Orfeo se templó con el vigor de los poetas*
*y su dorado son reblandeció las piedras y el acero,*
*domesticó a los tigres e hizo que enormes monstruos*
*abandonaran los abismos insondables*
*para venir a danzar sobre la playa.*

O este otro:

*La muerte, que ha librado el néctar de tu aliento,*
*no ha conseguido aún marchitar tu hermosura:*
*tu más preciado don no ha sido conquistado;*
*la enseña carmesí de la belleza*
*permanece en tu boca, en tus mejillas;*
*y el pálido estandarte de la muerte*
*no ha llegado hasta allí.*

Pero si Henslowe no podía competir con los del Chambelán en la corte, podría, por lo menos, proporcionar a su compañía y a su público un teatro mejor, y se gastó más de cien libras en mejorar el teatro de *La Rosa*. Estas mejoras eran mucho más necesarias ahora que había surgido un rival en Bankside. Se trataba de Francis Langley, quien en 1595 «construyó el más grande y hermoso» teatro de Londres, *El Cisne*, en Paris Garden, a unos cuatrocientos metros hacia el oeste.

Poco después de inaugurarse, un holandés llamado De Witt asistió allí a la representación de una comedia e hizo un croquis del teatro. Por desgracia, se ha perdido, pero un amigo suyo había sacado una copia y, como quiera que ésta es la primera ilustración contemporánea que tenemos del interior de un teatro isabelino, tiene la mayor importancia. Sin embargo, hay que considerarla con cautela, no sólo porque se trate de una copia, sino porque el dibujo original mismo estaba hecho de memoria, pues si De Witt hubiera estado en ese momento sentado en el teatro, no lo habría dibujado a vista de pájaro. Sin embargo, produce una buena impresión ge-

*Interior del teatro El Cisne, construido por Francis Langley, donde Shakespeare y su compañía actuaron en la temporada 1596-97. Al parecer, tenía un aforo de 3.000 espectadores sentados. Grabado de la época.*

neral. Vemos las galerías que rodean la «arena», con su proscenio, cubierto en parte por un dosel o «sombra», sostenido por unas columnas. Detrás está el *mimorum aedes*, habitaciones de los actores o camerinos, desde los que se puede acceder al escenario a través de dos puertas. Encima hay una galería, que en apariencia es para los espectadores, y sobre ella, una especie de caseta, el «Cielo» medieval, donde se producían los truenos y otros ruidos celestiales y terrestres. Presumiblemente, existe otra galería cubierta con un dosel y destinada quizá a los escenarios. El detalle más intrigante es la ausencia de un escenario superior, si los ocupantes de la galería eran realmente espectadores y no actores, y también la falta de un pequeño escenario debajo, tapado con cortinas. Por entonces, cuando las obras teatrales no eran ya meros entretenimientos acrobáticos, los «villanos», que antes solían quedarse de pie en la galería inferior, quizá se situaran ya en el patio, con gran ventaja para los actores; es también entonces cuando empezamos a oír hablar de cortesanos que alquilaban taburetes para sentarse en el propio escenario.

«Hamnet, hijo de William Shakspere», enterrado el 11 de agosto de 1596. Partida de defunción del Registro de la iglesia de la Santísima Trinidad de Stratford. Trustees of Shakespeare's Birthplace.

La casa de Stratford edificada por Thomas Rogers, vecino de Shakespeare y abuelo ▶ de John Harvard.

La compañía del Chambelán estaría tan interesada como Henslowe en la aventura de Langley, aunque por otra razón. El arriendo del solar sobre el que estaba construido El Teatro expiraba ya, y si Burbage no lo renovaba en condiciones razonables, tendrían que decidirse por El Cisne.

Así estaban las cosas en el verano de 1596, cuando Shakespeare recibió la noticia de que su hijo Hamnet se encontraba enfermo de extrema gravedad. Quizá muriese el chico antes de que él pudiera llegar a Stratford, aunque es imposible leer Rey Juan, que William escribía por entonces, sin ver reflejada su angustia al coger en brazos el pequeño cadáver, en el verso pronunciado por Faulconbridge cuando contempla cómo levanta Hubert el cadáver del niño Arthur: «Con qué facilidad levantas a toda Inglaterra!» Puesto que Hamnet era su único hijo varón, para él, para su pena, equivalía a Inglaterra entera. Sólo tenía once años.

Sin embargo, era mucho lo que le quedaba. Es cierto que su esposa, Anne, tenía ya cuarenta años y le llevaba a él ocho, y quizá no fuera una compañera muy adecuada para un poeta acostumbrado a la vida de la corte y de Londres. Pero allí estaban la hermana gemela de Hamnet, Judith, y su hermana Susanna, dos años mayor. Además, aún vivían el padre y la madre de William, así como la hermana y tres hermanos de éste, todos aún solteros. Edmund, el más joven, no era mucho mayor que Hamnet. La casa de la calle Henley se hacía pequeña para esta familia, sobre todo desde los grandes incendios de los dos últimos años, durante los que hubo que derribar un ala del edificio para evitar que se quemara por completo. Fue una pésima racha, pues por lo menos quedaron destruidos doscientos edificios, la mayoría de ellos en la parte alta de la villa, y muchos de los amigos de Shakespeare, incluso los Quiney y los Sturley, se habían quedado sin hogar. Pero iban

Edwin Smith

*Documento de concesión del escudo nobiliario a John Shakespeare.*

creciendo las nuevas casas, siendo la mejor la del rico Thomas Rogers, en High Street.

Cuando John Shakespeare había sido baile, casi treinta años antes, deseoso en su prosperidad de mejorar su condición, había solicitado un escudo de armas, pero durante sus años difíciles le faltó valor para mantener su pretensión. Ahora, al recuperar su buena situación, gracias al éxito de su hijo, renovó su solicitud, pues aunque su nieto Hamnet había muerto, le quedaban cuatro hijos varones, y lo más probable era que tuviera además otros nietos que podrían heredar el rango de caballeros. Unos meses antes, el propio William había deseado tanto como su padre ese ennoblecimiento, pero ahora más bien le parecía una vanidad; sin embargo, tenía que pensar en Susanna y en Judith y también en sus propios hermanos, y en octubre le fue concedido a John Shakespeare, *gentleman*, un escudo en cuyo campo de oro aparece una lanza plateada y en la corona un halcón con las alas desplegadas sosteniendo otra lanza también de plata.

Shakespeare no tenía prisa por marcharse de Stratford, pues como la compañía del Chambelán estaba de gira, no había razón alguna para que él regresara a Londres antes de que empezasen los ensayos para los Revels; y quizá fue durante esa prolongada estancia cuando empezó su casi cínico y despiadado *El mercader de Venecia*, la última de sus obras líricas, en la que su primera vena poética alcanza la perfección. Cuando por fin volvió a la capital, halló un tanto confusos los asuntos de su compañía. Lord Hunsdon había muerto, y aunque el hijo de éste había accedido a proseguir el patronazgo, no fue él el nuevo Chambelán, sino lord Cobham, poco amigo de los comediantes, y la corporación de la ciudad aprovechó esta gran oportunidad. No habían podido impedir que construyesen el teatro *El Cisne* —que para ellos no era más que un lugar donde se reunían «ladrones, cuatreros, chulos, traidores y otros maleantes»—, pero ahora lograron convencer a Cobham y al consejo privado para que cerrasen los teatros-posada de la ciudad. Fue un golpe muy duro para la compañía del Chambelán, porque ésta utilizaba la posada *The Cross Keys* en invierno, ya que tanto *El Teatro* como el *Curtain* quedaban demasiado lejos y el camino era un lodazal. Así que llegaron a un acuerdo con Langley, arrendaron *El Cisne* para la temporada de invierno y Shakespeare se mudó de Bishopsgate a Bankside. Su relación con Langley no tardaría en complicarle en una querella.

Langley estaba en las peores relaciones con uno de los magistrados locales de Surrey, William Gardiner, al que había acusado públicamente —por lo visto, con toda razón— de «pillo, falso y perjuro». Gardiner, furioso, se valió de su hijastro William Wayte, un tipo nada recomendable, y ambos amenazaron de tal modo a Langley que éste tuvo que solicitar protección legal «por miedo a la muerte u otros daños». El peligro era una realidad en aquellos tiempos turbulentos de distinguidos matones, cuando las espadas se desenvainaban con cualquier pretexto y los guardias eran tan discretos como Dogberry. Marlowe había sido ya acusado de asesinato antes de que lo matasen con una daga, y Ben Jonson estuvo a punto de que lo ahorcasen por haber atravesado con su espada a un actor. Gardiner no se detendría ante nada, y como magistrado, haría todo lo posible por arruinar a Langley cerrándole *El Cisne*. Esta fue sin duda la causa de que Shakespeare le ayudase y de que Wayte, a su vez, pidiese protección «contra William Shakspere, Francis Langley» y dos mujeres desconocidas, Dorothy Soer y Anne Lee. Evi-

*El rey Enrique V y Falstaff, en una escena de la segunda parte de* Enrique IV. *La popularidad de Falstaff fue tal, que al duque de Cobham, contra el que iban dirigidos algunos aspectos satíricos del personaje, se le empezó a conocer con ese nombre. Grabado de T. Robinson, según dibujo de C. Robinson.*

*Retrato de George Carey
(1547-1603), segundo lord
Hunsdon y mecenas de
Shakespeare. Victoria and
Albert Museum, Londres.*

dentemente, Shakespeare era un peligroso enemigo, pero también
un adversario generoso, pues si Gardiner fue efectivamente el modelo del juez Shallow, la sátira no es tan feroz como merecía aquel
magistrado sinvergüenza. Pero es posible que el irritable e ineficaz
Shallow sea una caricatura de su vecino de Stratford y tradicional
perseguidor, sir Thomas Lucy.

Shakespeare no pudo resistir la tentación de burlarse de lord
Cobham, el hombre que les había cerrado a él y a su compañía la
posada de *The Cross Key*, y en su siguiente obra, *Enrique IV*, le dio
al gordo y pusilánime caballero el nombre de su antepasado, sir
John Oldcastle. Cobham protestó y, con gran contento de sus muchos enemigos, Shakespeare cambió este nombre por el de Falstaff, otro histórico personaje capaz de una notable celeridad para
salir huyendo. El nombre hizo fortuna y desde entonces Cobham
fue conocido como Falstaff. Shakespeare se había vengado. Pero
en la primavera de 1597 murió el lord Chambelán Cobham, sin
que lo llorasen los comediantes; y con alegría de Shakespeare y de
sus compañeros, el mecenas de ellos, segundo lord Hunsdon, fue
nombrado para ese cargo. Una vez más eran los Hombres del
Chambelán.

# 5. Obras intermedias

Poco después, Shakespeare se hallaba de nuevo en Stratford. Tenía dinero que invertir y, siguiendo el ejemplo de su padre, lo empleó en adquirir propiedades. Durante algún tiempo quiso comprar New Place, «la casa de madera y ladrillo» situada enfrente de la capilla de la corporación y de la que fue su escuela. Era su dueño William Underhill, «un hombre codicioso y artero» que pidió un precio abusivo: en mayo, Shakespeare le pagó sesenta libras por la casa y sus dos graneros, dos jardines y dos huertos. Pocas semanas después, Underhill fue envenenado por un hijo loco que tenía.

Había que hacer reparaciones, pues la casa se hallaba en mal estado. Las dos partes de *Enrique VI* abundan en imágenes que revelan la preocupación que por entonces embargaba a Shakespeare por la edificación: «El armazón y los enormes cimientos de la Tierra», «como quien dibuja el modelo de una casa», etc... Más prosaicamente vendió una tonelada de piedra a la corporación para que reparasen el puente de Clopton. Quizá fuesen esas piedras los restos de uno de sus ruinosos graneros. Esta era su primera casa, y su preocupación por las tareas domésticas cotidianas la vemos en las imágenes caseras que caracterizan las obras de este periodo y también toda su producción posterior: «Teje nuestras fuerzas al brazo de la paz», «como las abejas, libando en todas las flores», pues sin duda había abejas en el jardín tanto tiempo abandonado que él estaba arreglando.

> *No puede limpiar este país con precisión...*
> *Sus adversarios están tan mezclados con sus amigos*
> *que, cuando tira para arrancar a un enemigo,*
> *no puede evitar que un amigo quede dañado.*

Y cuando por las tardes contemplaba el jardín, veía a los escolares corriendo al «este, oeste, norte y sur» por la encrucijada de su esquina, y por eso describiría luego la dispersión de un ejército «como una escuela que se dispersa, apresurándose cada uno hacia

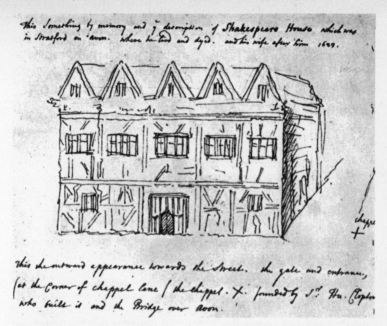

this Something by memory and y description of Shakespeare House which was in Stratford on Avon. where he lived and dyd. and his wife after him 1629.

this the outward appearance towards the Street. the gate and entrance, (at the corner of chappel lane) the chippel. X. founded by Sr Hu. Clopton who built it and the Bridge over avon.

New Place, la casa que Shakespeare compró en Stratford. Fue derribada hacia 1702. British Museum, Londres.

su casa y a los campos de juegos»; unas prisas que contrastaban con la marcha de caracol que llevaban los chicos por las mañanas y que también observaba él. Sentiría que se le encogía el corazón. Hamnet tendría que haber ido entre ellos.

La muerte de Hamnet había afectado profundamente a Shakespeare, tanto al hombre como al artista. No se volvió hacia los asuntos trágicos, como habría hecho un hombre de menor talla humana; por el contrario, las comedias de los años que siguieron inmediatamente a su desgracia fueron las más alegres —en apariencia— de todas. Pero hay en ellas una nueva ternura y compasión, algo así como si hubieran crecido en él la simpatía y la comprensión para con los personajes de todas las clases y edades. No era ya el amante y poeta centrado en sí mismo e identificado casi exclusivamente con los amantes y poetas de sus obras teatrales, sino un dramaturgo con un apasionado interés por toda la gente, y este cambio se refleja en su estilo.

Shakespeare contuvo su anterior exaltación lírica y escribió comedias históricas y «románticas», desde *Enrique IV* hasta *Noche de Reyes,* en un lenguaje mucho más próximo al hablado realmente por la gente que todo lo que había escrito hasta entonces. Basta comparar el final de *El mercader de Venecia* con el comienzo de *Enrique IV* para notar la transición del precioso, pero nada dramático, lirismo hacia un verso más teatral y natural. He aquí al veneciano Lorenzo:

> *La luna resplandece: en una noche como ésta,*
> *mientras la brisa besaba dulcemente los árboles,*
> *sin hacer ruido; en una noche como ésta,*
> *según creo, Troilo escaló las murallas de Troya*
> *y exhaló su espíritu frente a las tiendas griegas,*
> *donde Cresida yacía aquella noche.*

Y éste es el inglés Harry:

> *Aunque estamos tan atribulados y llenos de preocupaciones,*
> *tenemos que encontrar una ocasión favorable*
> *para que la paz alterada vuelva a latir*
> *y nos susurre los acentos jadeantes de nuevas batallas*
> *que hemos de comenzar sobre playas remotas.*

Las primeras comedias habían sido escritas principalmente en verso, muchas veces con rima, y la prosa quedaba reservada para los personajes cómicos —y es significativo que éstos conserven un mayor relieve que los que se expresan en verso, porque la lírica no es el tejido del que están hechos hombres y mujeres—. Pero las obras de este nuevo grupo estaban escritas en su mayor parte en prosa, el lenguaje tanto de los reyes como de los bufones, y con la prosa creó Shakespeare la mayoría de sus personajes más atractivos: Falstaff, Benedick, Beatrice y Rosalind. Es decir, la poesía lírica fue sustituida por la prosa dramática, así como de la prosa dramática pasaría el autor a la poesía dramática.

Al parecer, después de comprar New Place, Shakespeare no salía ya de gira con su compañía, sino que siempre que podía pasaba el verano en Stratford con su familia. Y a los del Chambelán les venía muy bien que su dramaturgo tuviese tiempo para escribir las obras de las que tanto dependía su prosperidad. No es probable que pusieran trabas a su ausencia. Por eso, podemos figurárnoslo instalado en New Place en el verano de 1597 con su esposa y sus dos hijas, escribiendo el *Enrique IV*, y quizá le sobrara tiempo para asistir a la boda de su hermana Joan, que seguramente se celebraría cerca de Stratford. El marido era William Hart, sombrerero, y la pareja alquiló las habitaciones de la calle Henley que había dejado libres la familia al mudarse a New Place.

Edwin Smith

*El emplazamiento de New Place, con las ruinas de la segunda casa allí construida y que fue derribada por su enfurecido dueño, a quien le parecían abusivas las contribuciones.*

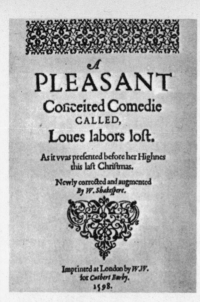

among his priuate friends,&c,

As *Plautus* and *Seneca* are accounted
the best for Comedy and Tragedy among
the Latines : so *Shakespeare* among ý English is the most excellent in both kinds for
the stage;for Comedy, witnes his *Gètlemê
of Verona,*his *Errors,*his *Loue labor's lost,*his
*Loue labours wonne,*his *Midsummer night
dreame,*& his *Merchant of Venice;*for Tragedy his *Richard the 2.Richard the 3.Hen-
ry the 4.King Iohn,Titus Andronicus* and
his *Romeo* and *Iuliet.*

As *Epius Stolo* said,that the Muses would
speake with *Plautus* tongue,if they would
speak Latin:so I say that the Muses would
speak with *Shakespeares* fine filed phrase,if
they would speake English.

As *Musæus,*who wrote the loue of *Hero*
and *Leander,*had two excellent schollers,
*Thamaras* & *Hercules:*so hath he in England two excellent Poets,imitators of him
in the same argument and subiect,*Christopher Marlow,*and *George Chapman,*

As *Ouid* saith of his worke;

*Iamý,opus exegi,quod nec Iouis ira,nec ignû,
Nec poteris ferrum,nec edax abolere vetustas.*

And as *Horace* saith of his;*Exegi monu-
mentû ære perennius;Regaliý,situ pyramidû
uod non imber edax; Non Aquilo
bossit diruere; aut innumerabilis*

O o2. *annorum*

Portada de la primera obra teatral publicada con el nombre de Shakespeare y una página de Palladis Tamia, 1598, donde se califica a Shakespeare como «el de la lengua de miel». British Museum, Londres.

A su regreso a Londres, Shakespeare se encontró con desagradables novedades surgidas en su ausencia. El viejo James Burbage había muerto y sus hijos Cuthbert y Richard no habían podido renovar el arrendamiento del solar sobre el que se elevaba *El Teatro*. Para complicar aún más las cosas, Langley se había buscado nuevos problemas en julio al permitir que la compañía del conde de Pembroke pusiera en escena una comedia satírica, *La isla de las gaviotas*, en el teatro de *El Cisne*. Basándose en que contenía un asunto muy sedicioso y difamatorio, el consejo privado ordenó el cierre de todos los teatros y el encarcelamiento de algunos comediantes y autores. Uno de éstos fue Nashe, que se escapó, y otro, Ben Jonson. Luego, cuando se levantó en octubre la prohibición general, a Langley le negaron el permiso para abrir *El Cisne* como teatro y tuvo que convertirlo en una especie de circo. Evidentemente, también Gardiner se había vengado. Esto significaba que *El Teatro*, *El Cisne* y las hosterías de la City quedaban todos vedados para la compañía del Chambelán, mientras que el teatro de *La Rosa* lógicamente estaba ocupado por la del Almirante. El único teatro que quedaba era el *Curtain*, poco accesible en el invierno, y de momento la compañía del Chambelán tenía que contentarse con este local viejo y de segundo orden.

Quizá fuese para superar este periodo difícil por lo que los miembros de la compañía vendieron cuatro obras de Shakespeare a los editores en 1597: *Ricardo II*, *Ricardo III*, la segunda parte de *Enrique IV* y *Trabajos de amor perdidos*, la primera comedia publicada con el nombre de Shakespeare. Es de notar que el propio Shakespeare no fue quien las vendió a los editores, por lo cual tuvo poco control sobre su edición, de ahí que la calidad de las obras variase según el editor; por ejemplo, William White dejó muy mal *Trabajos de amor perdidos*, edición *in quarto*, mientras que Valentine Simmes reprodujo con bastante fidelidad el texto de *Ricardo II*, aunque introdujo por lo menos 69 erratas; y cuando lanzó una segunda edición, aunque corrigió 14 errores, añadió 123 nuevos. Las obras teatrales no se consideraban como literatura seria y los mejores impresores no trabajaban en ellas. Aunque Shakespeare hubiera insistido en ver pruebas, era irremediablemente descuidado para estas cosas y se hallaba demasiado absorbido por su tarea de creador para molestarse por lo que ya había escrito.

Sin embargo, no todos miraban tan despectivamente las comedias como los libreros. En septiembre de 1598, un maestro de escuela llamado Francis Meres publicó su *Palladis Tamia: Tesoro del ingenio*, parte del cual es un fantástico intento de encontrarles paralelos clásicos a los poetas ingleses contemporáneos. Como crítica es totalmente baladí, pero resulta muy valiosa por los datos que da sobre Shakespeare. No era necesario ningún «Maestro de Artes por ambas Universidades» para decirnos que Shakespeare era considerado como el mejor dramaturgo de su tiempo, tanto en la comedia como en la tragedia, pero sólo un inteligente contemporáneo en contacto con los escritores y el teatro podía habernos dicho que los sonetos shakespearianos circulaban entonces entre sus amigos y, al mismo tiempo, recoger doce de las obras teatrales que había escrito. Meres tenía una pedantesca manía por equilibrar su prosa —seis comedias contra seis tragedias—, lo que puede explicar su omisión de las tres partes de *Enrique IV* y el título que inventó (no sin cierto tino), *Trabajos de amor ganados* para *La fierecilla domada*.

*Palladis Tamia* estaba recién publicado cuando la compañía del Chambelán inauguró su temporada de otoño en el *Curtain* con la primera comedia importante de Ben Jonson, *Cada cual según su humor*. Se ha dicho tradicionalmente que Shakespeare fue quien hizo aceptar esa comedia en la compañía. Indudablemente, actuó en ella, y la lista de «principales comediantes», añadida más tarde

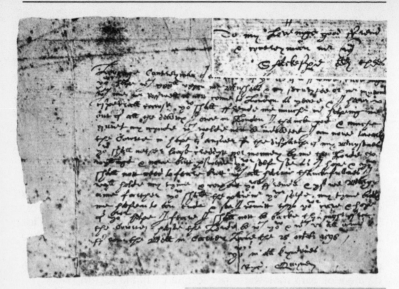

*Carta de Richard Quiney a Shakespeare pidiéndole un préstamo, 25 de octubre de 1598. Trustees of Shakespeare's Birthplace.*

*Una página de* Rosalynde: Eupheus Golden Legacie, *1590, escrita por Thomas Lodge sobre su viaje a las Azores. Shakespeare se inspiró en esta obra para componer su* As you like it *(Como gustéis). British Museum, Londres.*

por Jonson a la edición de sus *Obras*, es la primera prueba irrefutable del trabajo interpretativo de Shakespeare y, además, el primer reparto completo de la compañía. Condell y Sly eran por entonces dos aventureros, pero Beeston y Duke no pasaban de ser asalariados, y nunca llegaron a copropietarios. La comedia era un portento, una comedia realista con un objetivo muy concreto, y una reacción contra las obras «románticas» de Shakespeare, de las que Jonson se burlaba en el prólogo. Shakespeare replicó en *Como gustéis* con un genial esbozo de Jonson en el «humorista» Jaques, cuya ambición era «limpiar el sucio cuerpo de este mundo infectado». Los dos autores tenían poco en común, aparte del genio: el uno era arrogante, combativo e intolerante, mientras que el otro era todo simpatía para sus semejantes y nunca hacía de su producción un vehículo para la propaganda.

De esta misma época poseemos un ejemplo de la generosidad de Shakespeare. Sus amigos Adrian Quiney y el hijo de éste, Richard, habían sido muy perjudicados por los incendios de Stratford, y cuando Richard estaba en Londres, poco después de la puesta en escena de *Cada cual según su humor*, le escribió a Shakespeare urgentemente pidiéndole un préstamo de treinta libras para afrontar sus dificultades. Shakespeare le contestó en seguida, o quizá fuese a verle inmediatamente a donde vivía, pues al día siguiente Richard escribió a su familia diciendo que su «paisano» le había prometido el dinero. Es el único fragmento que nos queda de la correspondencia de Shakespeare.

# 6. La época de El Globo

Durante aquel invierno Shakespeare recibió otras angustiadas peticiones de dinero. La compañía del Chambelán no tenía la intención de seguir indefinidamente en el *Curtain* y, después de pensarlo mucho, había elegido un sitio para un nuevo teatro en Bankside, casi —y esto horrorizaba a Henslowe— frente a *La Rosa*. Actuaron ante la reina en Whitehall y dos días después realizaron el

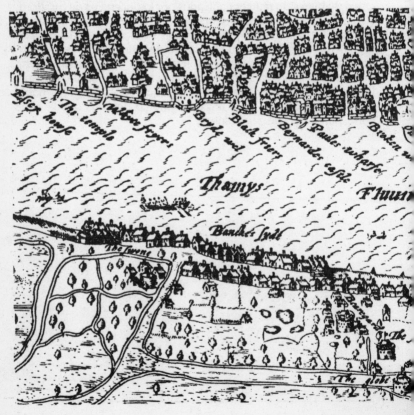

audaz salto que venían planeando desde hacía algún tiempo. Aunque *El Teatro* estaba ahora en un solar ajeno, pertenecía, según ellos interpretaban el arriendo, a los hermanos Burbage, así que armados con hachas invadieron el local, y bajo la experta dirección del carpintero Peter Street empezaron su demolición. Luego, como lo expresó uno de sus rivales, «se llevaron del modo más violento y con el mayor alboroto toda la madera». Y en *El Teatro* la había en abundancia. Debió de ser un curioso espectáculo ver a Shakespeare y a sus compañeros transportando las vigas y los tablones a lo largo de Bishopsgate y cruzando el Puente de Londres hasta Bankside. Allí, en el terreno pantanoso frente a *La Rosa*, Street les construyó un nuevo teatro. Le llamaron *El Globo* y pusieron como escenario una figura de Hércules llevando la Tierra sobre sus hombros, símbolo quizá de la hercúlea labor que llevaron a cabo aquellos hombres.

Street aprovechó cuanto pudo de la madera de construcción

*Bankside, en 1600, según un grabado de Civitas Londini, de John Norden. El teatro El Globo (The Globe) se construyó junto al de La Rosa, que aparece en el grabado con el nombre erróneo de The Stare. Todos los teatros están dibujados en la parte inferior de la imagen, con forma cilíndrica, que era la que tenían en realidad. Biblioteca Real. Estocolmo.*

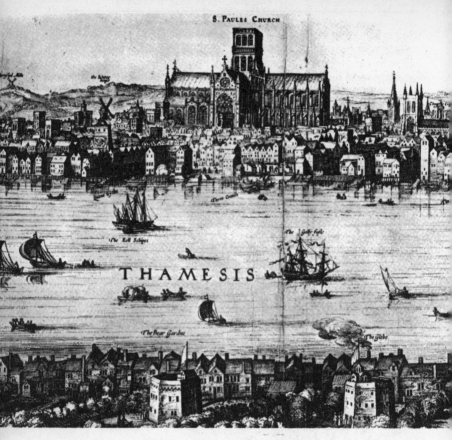

que se habían llevado de *El Teatro*, pero una parte de ella se hallaba en mal estado. *El Globo* no fue, en modo alguno, el teatro anterior trasladado a un nuevo solar. Las comedias de 1599 eran muy diferentes de las de 1576 y tanto Shakespeare como sus compañeros, por su larga experiencia, ya sabían lo que querían. Era evidente que el público tenía que estar lo más cómodo posible, pero lo que de verdad importaba era el escenario. No faltaban las trampillas que comunicaban con el «Infierno» por debajo del escenario, así como los correspondientes y raros dispositivos del «Cielo», por donde llegaban las visitas aéreas. Pero lo esencial era contar con un escenario superior bien concebido, sobresaliendo hacia el proscenio, al nivel de la galería media; debajo de este escenario superior montaron otro de entrada cubierta con cortinas, que podía utilizarse para las escenas de interior más importantes. Así, con tres

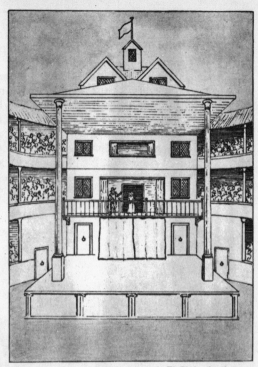

*Una reconstrucción del escenario de* El Globo *hecha por el autor.*

*Bankside, donde Shakespeare residió durante muchos años. Tomado de* View, *de Visscher. British Museum, Londres.*

escenarios y dos niveles, y utilizando también el patio si era preciso, podían ser representadas las obras más complicadas de Shakespeare. La acción fluía ininterrumpidamente por todo el espacio escénico. Shakespeare empezó a escribir con destino a este «círculo de madera» su *Enrique V*, un despliegue histórico en el que se empleaban al máximo todos los recursos del nuevo local.

La compañía del Chambelán había añadido, por tanto, un nuevo teatro al fondo común. Se hicieron diez partes, la mitad de ellas distribuidas entre los hermanos Burbage por su aportación al local anterior, *El Teatro*, y las otras cinco entre los miembros de la compañía que habían costeado el nuevo edificio. Shakespeare fue uno de ellos —es más, *El Globo* fue descrito poco después de su inauguración como «un teatro ocupado por William Shakespeare y otros»—, de manera que a sus ganancias como dramaturgo y actor añadía ahora la décima parte de los beneficios que dejaba el propio teatro. Como dramaturgo cobraba diez libras por cada obra; como actor tenía derecho a la octava parte de lo que dejaban las localidades de pie en el patio y a la mitad de lo que producían los asientos de las galerías; y como copropietario o «accionista» del teatro, a la décima parte de la otra mitad de lo que daban las galerías. Además estaban las sustanciosas recompensas por las representaciones en la corte. Es probable que, a principios del nuevo siglo, los ingresos anuales de Shakespeare alcanzasen una cifra considerable y prácticamente libre de impuestos. No es, pues, de extrañar que los actores de *La Rosa*, todos ellos en deuda con Henslowe —que así los tenía en sus garras—, viesen con envidia esta libre y próspera asociación. Y el propio Henslowe empezó a buscar otro sitio para tener un teatro lo más lejos posible de *El Globo*.

Mientras Shakespeare y sus compañeros estaban desmante-

*Una escena de Enrique V, obra con la que probablemente se inauguró El Globo. Grabado de T. Robinson, según dibujo de C. Robinson.*

◄ *El Globo, dibujado en esta ocasión de forma poligonal, «un teatro ocupado por William Shakespeare y otros». British Museum.*

lando *El Teatro*, Spenser se había refugiado en Londres, procedente de Irlanda, donde los rebeldes habían saqueado y quemado su casa. Murió un mes después en la mayor pobreza y fue enterrado en la abadía de Westminster. Irlanda ardía en rebelión, y el ambicioso y desconcertante Essex convenció a la reina para que le enviase a extinguirla. Partió en marzo al frente de un ejército, llevándose con él al conde de Southampton. Shakespeare, casi al final de su *Enrique V*, escribió:

> *Si ahora el general de nuestra graciosa emperatriz*
> *(y día vendrá en que así sea) regresara de Irlanda*
> *trayendo la rebelión ensartada en su espada,*
> *¡cuántos saldrían de la ciudad en paz*
> *para darle la bienvenida!*

Pero no fue esto lo que logró Essex. Después de perder el verano en fútiles marchas, se desmoralizó y concertó una tregua con Tyrone, el jefe rebelde, abandonó a su ejército y se puso a merced de Isabel. Esta le arrestó, y aunque pronto le puso en libertad, Essex ya era un hombre desprestigiado y arruinado, que había perdido el favor de la reina y de la corte. Un hombre peligroso en tales circunstancias: primo de la anciana soberana y adorado por el pueblo, mientras la sucesión del trono estaba aún sin resolver.

*Enrique V* fue probablemente la obra con la que se inauguró *El Globo* en el otoño de 1599, poco después de haber caído Essex en desgracia. Shakespeare debió de interpretar el papel de Cloro y, aunque en el prólogo se disculpó por lo inadecuado del teatro para la presentación de un «asunto tan grande», podemos adivinar el noble orgullo que sintió al darle al público la bienvenida al nuevo local. No actuó en *Cada cual según su humor*, puesta en escena poco después por su compañía. Era una comedia confusa y aburrida en la que Jonson, por cierto, se burlaba del reciente ennoblecimiento de Shakespeare y de su lema, *«Non sans droit»*, sugiriendo un irónico y alternativo *«Not without moutard»* («No sin mostaza»).

La compañía del Chambelán tuvo que sacar dinero para la construcción de *El Globo* vendiendo parte de su repertorio, y en 1600 ofreció a los editores cuatro obras de Shakespeare: *El mercader de Venecia*, *Sueño de una noche de verano*, *Mucho ruido por nada* y la segunda parte de *Enrique IV*. Todas ellas fueron inscritas en el Registro de Libreros, las dos últimas juntas, inscripción de un extraordinario interés, pues es la primera vez que el nombre de Shakespeare aparece oficialmente como autor. Pocos días antes, la

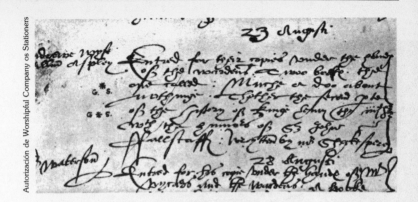

Primera inscripción de una obra de Shakespeare en el Registro de Libreros: segunda parte de la historia del Rey Enrique V con las ocurrencias de sir John Falstaff. Stationer Hall.

Composición musical de Thomas Morley para una canción de Shakespeare: «Érase un enamorado y su amante». Tomado de First Booke of Ayres, de Morley, 1600. Folges Shakespeare Library, Washington.

*Una escena de Ricardo II. Grabado de W. J. Palmer, según dibujo de J. M. L. Ralston.*

compañía había descubierto que uno de sus asalariados había «pirateado» una versión de *Enrique V* con la intención de venderla a un editor. Hicieron lo posible para impedir su publicación, pero no lo consiguieron, y la versión mutilada reunió los «malos» *quartos* de las partes segunda y tercera de *Enrique IV* y *Romeo y Julieta* en las librerías de San Pablo. *Las alegres comadres de Windsor*, comedia que escribía Shakespeare por entonces, se convertiría pronto en la quinta obra vendida.

Aunque Shakespeare era relevado paulatinamente en su trabajo de actor, fue éste un periodo de mucha actividad para él. Escribía mucho para proveer a *El Globo* de nuevas obras, y el buen éxito de éstas contribuyó a que la compañía pudiera devolver los préstamos que había solicitado a un interés muy elevado. En el transcurso de 1599-1600, William pudo escribir *Julio César, Como gustéis* –comedia basada en el «romance» de Thomas Lodge, *Rosalind,* con música de Thomas Morley– y en las navidades de 1600 tenía ya dispuesta una tercera comedia, ésta para los Revels, *Noche de Reyes,* que fue presentada en el Palacio de Whitehall la misma noche de reyes de 1601, como cortesía hacia el distinguido huésped de Isabel, el joven noble veneciano Virginio Orsino, duque de Bracciano. Y también como homenaje a la reina, a la que se esperaba identificar con Olivia, pues según la ficción de la corte seguía siendo la Reina de las Hadas, contra cuya belleza y juventud era impotente el tiempo. En realidad, Isabel tenía ya sesenta y ocho años, los dientes ennegrecidos, una peluca pelirroja y el rostro arrugado. No es que Shakespeare estuviese engañado respecto al poder destructor del tiempo. Por el contrario, es un tema importante en la poesía de su primera época: «el tiempo derrochador», «el tiempo devorador», «el tiempo avaro». Hasta ahora había visto la edad desde el lado de la juventud, pero *Noche de Reyes* es una transición, una reconciliación con el tiempo, la aceptación del hecho de que tampoco él era ya joven, y de ahí que viese a la juventud con ojos comprensivos desde la orilla de la edad avanzada. Esta es la última y más perfecta de sus comedias del periodo intermedio.

Exactamente un mes después, el viernes 6 de febrero, media docena de caballeros fueron a *El Globo* y le pidieron a los del Chambelán que dieran al día siguiente una representación especial del *Ricardo II* de Shakespeare. Los actores pusieron dificultades, pues era un drama ya antiguo que atraería poco público. Sin embargo, cuando les ofrecieron cuarenta chelines, accedieron y en la tarde del sábado pusieron nuevamente en escena la tragedia del destronamiento y ejecución del rey Ricardo. El público quedó decepcionado. A la mañana siguiente, trescientos hombres armados salieron de la casa de Essex y avanzaron por el Strand. Iban capitaneados por el propio conde. Recorrieron Ludgate y Cheapside, arengando a los ciudadanos para que «liberasen» a la reina de sus malos consejeros. Ni un solo hombre se unió a ellos. Essex, desesperado, se rindió y el resto de los rebeldes, incluido Southampton, fueron detenidos. Diez días después los procesaron acusándoles de traición. Fueron condenados a muerte, aunque la sentencia de Southampton se conmutó por la de prisión perpetua. El día 25, el joven favorito de la anciana reina fue ejecutado en la Torre. Aunque involuntariamente, los actores del Chambelán se habían visto implicados en el levantamiento, pues la representación de *Ricardo II* había sido parte de la conjura para recordarles a los ciudadanos que los soberanos pueden ser depuestos. Fueron interrogados, pero resultaron inocentes, y en la víspera de la ejecución de Essex volvieron a actuar en Whitehall.

La compañía del Almirante dio ese mismo año tres representaciones en la corte, pero ya no estaba en el teatro de *La Rosa*. Habían dejado el local de Bankside a los del Chambelán y se trasla-

*Ben Jonson (1573-1637), notable dramaturgo y poeta que participó activamente en la «guerra de los teatros». Acusaba a Shakespeare de no seguir las reglas clásicas de la composición teatral, pero sentía una gran admiración por él, tal como demuestra su elegía «A la memoria de mi querido Mr. William Shakespeare». National Portrait Gallery, Londres.*

daron, río arriba, a Finsbury, al norte de Cripplegate, donde Henslowe y Alleyn habían construido un nuevo teatro, el *Fortuna*, edificado a imitación de *El Globo*, aunque con una estructura cuadrada. Más significativa fue la reaparición de otras dos compañías en la corte: los Niños de San Pablo y los Niños de la Capilla. Shakespeare no había tenido que afrontar nunca la competencia de los chicos, pues hacía ya diez años que estas compañías infantiles no trabajaban en el teatro. Sin embargo, la del Chambelán había sido en gran parte la responsable de la innovación. Antes de morir, James Burbage había convertido parte de los edificios de Blackfriars en un segundo teatro privado, un amplio salón provisto de un escenario, galerías y asientos. Las protestas de los residentes habían impedido inaugurarlo, pero en 1600 los hijos de Burbage lo alquilaron al maestro de los Niños de la Capilla y las representaciones se reanudaron. Se trataba de una novedad para atraer los cansados gustos de los ciudadanos, que acudieron en masa a Blackfriars y a la escuela de canto de San Pablo. Aunque sus maestros de coro no podían contar con la pluma de Shakespeare, que escribía exclusi-

*Una página de la primera edición in quarto, 1602, de* Poetaster of the Arraignment, *obra en la que Jonson oponía a la tradición convencional del teatro popular las ideas de un clasicismo consciente y ridiculizaba a sus rivales literarios. British Museum, Londres.*

vamente para su compañía, dispusieron de los restantes mejores dramaturgos, y así empezó la fructífera «guerra de los teatros», fructífera sobre todo para las compañías infantiles, no tanto para las de los adultos.

Ben Jonson y John Marston eran unos jóvenes pendencieros con ideas contrapuestas sobre el teatro. En *Cada uno según su humor*, Jonson había parodiado el estilo rimbombante de Marston. Y Marston, por su parte, había replicado metiéndose con Jonson en una de sus primeras comedias interpretadas por los Niños de San Pablo. Jonson replicó con *Las fiestas de Cynthia*, escrita para la Capilla, en la que eran ridiculizados tanto Marston como su amigo Dekker. A su vez, Marston devolvió el golpe en una comedia escrita para los de San Pablo. Londres estaba encantado y expectante por lo que podría suceder a continuación. Y no quedaron decepcionados. En el otoño de 1601, los Niños de la Capilla representaron el *Poetastro* de Jonson, donde se satirizaba a Dekker en el papel de Demetrio y a Marston como el poetastro Crispín. Los dos son acusados ante César, y Jonson, que es el virtuoso Horacio, hace tomar a Crispín una píldora para que vomite sus palabras hinchadas. Pocas semanas después llegó la respuesta de Marston y Dekker en *Satiromastix*, representada en San Pablo. El arrogante Horacio es acusado ante William Rufus, y sus jueces son Demetrio y Crispín. Prefieren no darle píldoras, temiendo el mal olor de la negra insolencia que se desataría en su cuerpo, sino coronarlo con espinas y hacerle jurar que renunciará a su exhibicionismo y vanidad. Jonson hubiera replicado también esta vez, pero había ofendido al gobierno ya que su sátira no se refería sólo a unos cuantos autores rivales, y le hicieron callar. Este fue el último asalto de la «guerra de los teatros».

Aquella navidad, los estudiantes de Cambridge representaron una comedia anónima titulada *El regreso del Parnaso*, en la cual aparecían Kempe y Burbage elogiando a su colega Shakespeare por haberle éste rebajado los humos a Jonson. Pero lo que Shakespeare tuviese que ver con la «guerra de los teatros» y en qué consistiera la «purga» que le administró a Jonson, es un misterio, aunque en *Hamlet*, cuya escritura le ocupaba por entonces, añadió algo así como una nota a pie de página sobre aquella espectacular querella de los escenarios.

Es posible que no asistiera al momento culminante de esta guerra de palabras, pues su padre había muerto en septiembre, y William probablemente estaría en Stratford para el entierro o poco después. Quizá el «viejo de las alegres mejillas» fuese atendido en su última enfermedad por el joven médico de Bedfordshire, John

### The returne from Parnassus.

*Kempe* Its true indeede, honeſt *Dick*, but the ſlaues are ſome-what proud, and beſides, it is a good ſport in a part, to ſee them neuer ſpeake in their walke, but at the end of the ſtage, iuſt as though in walking with a fellow we ſhould neuer ſpeake but at a ſtile, a gate, or a ditch, where a man can go no further. I was once at a Comedie in Cambridge, and there I ſaw a para-ſite make faces and mouths of all ſorts on this faſhion.

*Bur.* A little teaching will mend theſe faults, and it may bee beſides they will be able to pen a part.

*Kemp.* Few of the vniuerſity pen plaies well, they ſmell too much of that writer *Ouid*, and that writer *Metamorphoſis*, and talke too much of *Proſerpina* & *Iuppiter*. Why heres our fellow *Shakeſpeare* puts them all downe, I and *Ben Ionſon* too. O that *Ben Ionſon* is a peſtilent fellow, he brought vp *Horace* giuing the Poets a pill, but our fellow *Shakeſpeare* hath giuen him a purge that made him beray his credit:

*Bur.* Its a ſhrewd fellow indeed : I wonder theſe ſchollers ſtay ſo long, they appointed to be here preſëtly that we might try them: oh here they come.

*Stud.* Take heart, theſe lets our clouded thoughts refine,
The ſun ſhines brighteſt when it gins decline.

*Bur.* M.*Phil.* and. M.*Stud.* God ſaue you.

*Kemp.* M.*Pil.* and M.*Otioſo*, well met,

*Phil.* The ſame to you good M. *Burbage*. What M. *Kempe*

### Prince of Denmarke.

We boorded them a the way : they are comming to you.

*Ham.* Players, what Players be they?

*Roſ.* My Lord, the Tragedians of the Gitty,
Thoſe that you tooke delight to ſee ſo often.            (ſtie?

*Ham.* How comes it that they trauell? Do they grow re-

*Gil.* No my Lord, their reputation holds as it was wont.

*Ham.* How then?

*Gil.* Yfaith my Lord, noueltie carries it away,
For the principall publike audience that
Came to them, are turned to priuate playes,
And to the humour of children.

*Ham.* I doe not greatly wonder of it,
For thoſe that would make mops and moes
At my vncle, when my father liued,
Now giue a hundred, two hundred pounds
For his picture : but they ſhall be welcome,
He that playes the King ſhall haue tribute of me,
The ventrous Knight ſhall vſe his foyle and target,
The louer ſhall ſigh gratis,
The clowne ſhall make them laugh            (for't,
That are tickled in the lungs, or the blanke verſe ſhall halt
And the Lady ſhall haue leaue to ſpeake her minde freely.

*The Trumpets ſound,    Enter Corambis.*

Hall, que había empezado a ejercer en la villa. Hubo otros cambios en la casa de la calle Henley. Su hermana Joan había dado a luz recientemente un hijo, el primer sobrino de Shakespeare, y su hermano menor, Edmund, se había marchado de Stratford para hacerse actor como él. Pero sus otros hermanos seguían allí, y fue a Gilbert a quien en la primavera de 1602 encargó negociar la compra de una finca de William Combe y de su sobrino John: 127 acres de tierra laborable en Old Stratford, al norte de la villa. Por tanto, Shakespeare era ya un hidalgo campesino con la mejor casa de

*La finca de Old Stratford comprada por Shakespeare en 1602.*

*Escritura de venta de la finca de Old Stratford, con fecha 1 de mayo de 1602, por la suma de trescientas veinte libras. Trustees of Shakespeare's Birthplace.*

Stratford. Además, se hallaba en el punto culminante de su arte y en el umbral de sus más grandes logros.

La reina Isabel, en cambio, declinaba a ojos vistas. Después de las fiestas de navidad, la corte se trasladó río arriba, a Richmond, donde el 2 de febrero de 1603 la compañía del Chambelán representó una obra, tal vez *Hamlet*, recién acabada por entonces. Nada podría haber sido más apropiado, pues Shakespeare, que nunca volvió a ver a la reina, ya se había despedido de ella:

> *Buenas noches, dulce príncipe.*
> *¡Bandadas de ángeles te cantan mientras reposas!*

La reina murió al amanecer del 24 de marzo.

# 7. Los Hombres del Rey y las grandes tragedias

Tras la muerte de Isabel, comenzaba una época menos gloriosa. El nuevo soberano fue Jacobo, rey de Escocia, hombre bienintencionado, aunque terco y pedante, que tenía aproximadamente la edad de Shakespeare. Su esposa, la reina, una extravagante princesa danesa, le había dado tres hijos: Henry, Elizabeth y Charles. Jacobo se apresuró a reorganizar la corte a su gusto, ascendiendo a sus partidarios y eliminando a sus contrarios. El hijo de lord Burghley, Robert Cecil, quedó de primer ministro y pronto el rey lo nombró conde de Salisbury; Francis Bacon fue hecho caballero, y el mecenas de Shakespeare, Southampton, puesto en libertad, mientras que Raleigh fue encerrado en la Torre. La reorganización de la vida cortesana afectó pronto a los asuntos teatrales y, a los dos meses de su subida al trono, Jacobo tomó a Shakespeare y a sus compañeros bajo su protección. Este cambio de mecenas no supuso en sí mismo ningún cambio de fortuna, pues aunque les nombraron ayudas de cámara e iban vestidos con la librea real escarlata, no cobraban nada por ello. Era una distinción puramente honorífica. Sin embargo, el cambio de soberano sí implicó una mejora en la suerte de estos comediantes. Bajo Isabel se daban cada año seis o siete funciones en la corte, mientras que bajo Jacobo era raro el año en que no se daban veinte; y como quiera que los Hombres del Rey eran los encargados de la mayoría de las representaciones, ello significaba un notable aumento en sus ingresos. Todas las demás compañías de Londres fueron protegidas también por la casa real. La del Almirante tomó el nombre del príncipe Henry; una nueva compañía que actuaba en el teatro *Curtain* fue la de la reina Ana, y los Niños de la Capilla tomaron entonces el nombre de Niños de las Fiestas de la Reina.

Al principio de esta nueva era, Shakespeare acababa de cumplir treinta y nueve años. Habían pasado exactamente diez años desde la publicación de su primera obra y también diez desde la muerte de Marlowe. En el curso de esta asombrosa década Shakespeare había escrito unas veinte obras, desde *Trabajos de amor*

perdidos y *Romeo y Julieta* hasta *Noche de Reyes, Troilo y Cresida*
y *Hamlet*, llevando la revolución empezada por los «ingenios de la
universidad« a unas alturas que ni siquiera pudo haber imaginado
el envidioso Greene. Además, sus triunfos y su ejemplo habían
producido una escuela de dramaturgos como no se había visto
antes ni se ha vuelto a ver después, ni en Inglaterra ni en ningún
otro país. Sin embargo, el triunfo no le había afectado, seguía siendo tan modesto y cortés como cuando Chettle le conociera diez
años antes, aún gozaba de gran popularidad entre el gran público y
se le conocía afectuosamente con el nombre de «William, el Con-
quistador».

*El hall de Middle Temple, donde fue representada la comedia* Twelf Night (Noche de Reyes) *el 2 de febrero de 1602. Picture Post Library.*

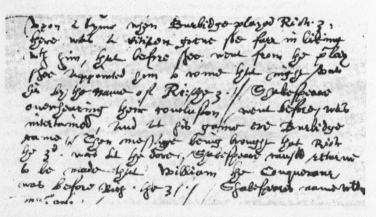

*Manuscrito de una página del Diario de John Manningham en la que se relata una anécdota de Shakespeare. British Museum, Londres.*

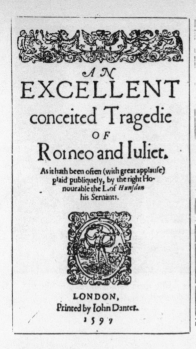

A N
# EXCELLENT
conceited Tragedie
O F
## Romeo and Iuliet.

As it hath been often (with great applause)
plaid publiquely, by the right Ho-
nourable the L.of Hunsdon
his Seruants.

LONDON,
Printed by Iohn Danter.
1597

T H E
Tragicall Historie of
# HAMLET
*Prince of Denmarke*

By William Shake-speare.

As it hath beene diuerse times acted by his Highnesse seruants in the Cittie of London : as also in the two V-
niuersities of Cambridge and Oxford, and else-where

At London printed for N.L. and Iohn Trundell.
1602.

*Portadas de las primeras ediciones de dos obras de Shakespeare.*

A pesar de sus promesas, la época jacobina empezó bajo malos auspicios. La peste llegó con Jacobo, se cerraron los teatros y murieron treinta mil personas en Londres antes de que volvieran a abrirse en la primavera siguiente. Fue la peor época para Shakespeare. Los Hombres del Rey salieron de gira, representando *Hamlet* en Oxford y Cambridge, y ocurrió que uno de sus asalariados –probablemente el que interpretaba a Marcelo– se aprendió de memoria la obra entera y escribió una versión para un editor. De ahí que apareciera un *quarto* malo (el sexto y más famoso de todos) en Londres a principios de la epidemia.

Es probable que Shakespeare se retirase a su casa de Stratford para revisar la recalcitrante *Está bien todo lo que acaba bien*, que aún no había acabado bien, y para escribir *Medida por medida*, una sombría y experimental comedia cuyo título revela ya un intento más serio que el de sus predecesoras superficiales: *Mucho ruido para nada*, *Como gustéis*, *Lo que queráis*. En noviembre había vuelto a reunirse con sus compañeros y ensayaba en Mortlake, río arriba de Londres, cuando recibieron la orden de ir a Wilton,

*Wilton House, donde Shakespeare y su compañía representaron* As you like it (Como gustéis) *ante el rey Jacobo, el 2 de diciembre de 1603.* National Building Record.

a la mansión del conde Pembroke, cerca de Salisbury. Allí estaba la corte, y el 2 de diciembre Shakespeare y sus compañeros dieron su primera representación ante el rey. Parece ser que la comedia representada fue *Como gustéis*. Poco después Jacobo partió para Hampton Court, donde se celebraron las primeras fiestas de navidad de su reinado. La compañía del Rey representó siete obras, una de las cuales fue *El sueño de una noche de verano*, y otra tragedia de Jonson que no obtuvo mucho éxito y en la que actuó Shakespeare. Este es el último dato de su trabajo como actor y quizá a partir de entonces se dedicara sólo a escribir y a dirigir la puesta en escena. En *Hamlet* tenemos un destello de Shakespeare aleccionando a sus compañeros en la interpretación: «Os ruego que declaméis como yo lo he hecho, con soltura y naturalidad... Adecuad la acción a la palabra y la palabra a la acción, teniendo bien en cuenta esto: no sobrepasar la natural modestia.» La tradición medieval de exageración pasional molestaba a Shakespeare, que no quería nada de eso en su compañía. Al retirarse él, entraron nuevos actores y la compañía creció de nueve a doce copropietarios.

A finales de febrero la epidemia casi había desaparecido y Shakespeare encontró un nuevo alojamiento cerca de Cripplegate (Mugle), en la esquina de la calle Monkwell y la calle Silver, en la

*Una escena de* As you like it: *Rosalind, Celia y Toushstone.*

*Fragmento del mapa de Londres atribuido a Ralph Agas, 1633. La casa de Christopher Mountjoy estaba en la esquina de las calles Mungle y Silver. British Museum, Londres.*

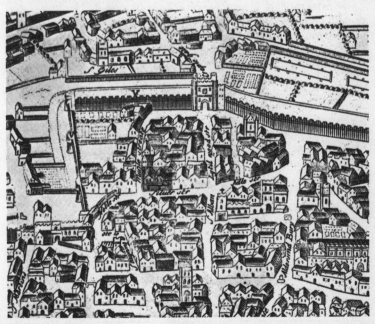

casa de Christopher Mountjoy, fabricante de los tocados tan costosos y elaborados que llevaban las damas. Allí se vio implicado en un conflicto familiar. Mountjoy tenía una hija, Mary, a la cual deseaba ver casada con su aprendiz Stephen Belott, y Shakespeare, con la mejor voluntad, accedió a estimular el amor de los jóvenes. Debió de utilizar con Belott la considerable fuerza de persuasión que seguramente poseía, haciéndole comprender las ventajas de su casamiento con Mary, no sólo por la dote sino por la herencia que le correspondería a ella cuando muriera su padre. El dramaturgo venció la desconfianza de Stephen. Los hizo novios sencillamente juntando sus manos, y se casaron en noviembre. Pero, como tendremos ocasión de ver, el asunto no quedaría ahí.

Fue probablemente en casa de los Mountjoy donde William empezó a escribir *Otelo*. La prosa dramática de sus comedias y obras históricas le había enseñado a escribir poesía dramática, verso creador de personajes, estilo que había perfeccionado en *Hamlet* y en *Medida por medida*. Ahora, llegado a la cumbre de su talento, aplicó este noble medio a la más elevada de las formas teatrales: la tragedia. No es preciso creer que se encontraba entonces, ni en los años siguientes, en un estado de ánimo trágico, pues el hecho de que un hombre sea desgraciado no le lleva necesariamente a cultivar los temas trágicos —Falstaff había sido la réplica de Shakespeare al terrible golpe de la muerte de Hamnet—, sino que un gran poeta y dramaturgo se inclinará por la tragedia si desea crear la más elevada forma de arte, y *Otelo* sólo es la primera de la serie de extraordinarias tragedias que culminaron cuatro años después con *Antonio y Cleopatra*. Incluso para Burbage, que interpretaba los héroes trágicos en *El Globo*, el esfuerzo debió de ser muy grande, pero para el propio Shakespeare resultaría insoportable, pues incesantemente se estaba identificando con sus personajes y padeciendo con ellos a medida que los iba creando. Esta absoluta autoidentificación es uno de los principales secretos de su arte, y así puede decirse que Shakespeare sufrió los celos de Otelo, la locura de Timón y Lear, el remordimiento de Macbeth, el insensato orgullo de Coriolano y la desesperación de Antonio.

En marzo el rey pudo realizar el largo viaje oficial a través de la City que se había estado aplazando, y Shakespeare, como real ayuda de cámara, se puso en esta ocasión su librea escarlata. Pronto tuvo que llevarla de nuevo de modo oficial. En agosto, Cecil negoció la paz con España, y los Hombres del Rey fueron designados para atender al embajador extraordinario de este país en Somerset House. Fue una paz con honor, el acontecimiento político más afortunado del reinado de Jacobo I. La guerra de los veinte

*Conferencia celebrada en Somerset House, 1604, cuando Shakespeare era «groom of the chamber». National Portrait Gallery, Londres.*

*Cuentas de las fiestas cortesanas (Revels) de las navidades de 1604. Sólo se han conservado dos documentos de este tipo relacionados con Shakespeare. Public Record Office.*

Uno de los doce figurines realizados por Inigo Jones para la Mascarada de la negrura: «Colores celeste y plata; rematado con unas volutas y un adorno de plumas a la antigua, y joyas entrelazadas con sartas de perlas. Para la frente, orejas, cuello y muñecas, los adornos eran de las perlas orientales más escogidas.» Trustees of the Chatsworth Settlement.

años con España había terminado. Pero esos veinte turbulentos años habían estimulado el gran renacimiento literario isabelino.

No es de extrañar que las fiestas cortesanas de esas navidades fueran alegres y prolongadas, desde principios de noviembre hasta finales de febrero. Afortunadamente se conservan las cuentas del «maestro de fiestas» de esta temporada de 1604-1605. De las once obras presentadas por los Hombres del Rey, por lo menos siete eran de Shakespeare: *Otelo*, *Las alegres comadres de Windsor*, *Medida por medida*, *La comedia de las equivocaciones*, *Trabajos de amor perdidos*, *Enrique V* y *El mercader de Venecia*, esta última representada dos veces. También pusieron dos veces en escena las comedias de Jonson.

Jonson pretendía ser de ascendencia escocesa y no tardó en explotar esta condición, así como la extremada afición de la reina a lo extravagante. En el reinado de Isabel, la mascarada había sido poco más que una modesta forma de charada con disfraces y danzas, pero con Jonson se convirtió en un complicado espectáculo con los efectos escenográficos más llamativos. Actuaban en ellas la propia reina y los grandes personajes de la corte, llevando las damas joyas que valían una inmensa fortuna. Para diseñar el vestuario y los decorados Jonson se aseguró la colaboración de un joven arquitecto cuya fama crecía sin cesar, Inigo Jones, y la larga colaboración de estos dos hombres comenzó la noche de reyes de 1605 con la *Mascarada de la negrura*, en la que la reina y sus damas aparecieron de moros. Durante los años siguientes, Jonson fue afirmando su posición en la corte escribiendo y dirigiendo estas efímeras y encantadoras bagatelas, mientras que Shakespeare trabajaba en sus grandes tragedias. *Timón de Atenas* y la mayor parte de *Rey Lear* fueron escritos probablemente en 1605.

Si Shakespeare estuvo en Stratford a principios de abril, seguramente asistiría a la boda de Robert Harvard de Southwark y Katherine Rogers, hija de su vecino Thomas Rogers; y si no estuvo allí, pronto los vería en su casa de Bankside, donde había de nacer dos años después su hijo John Harvard, que se haría famoso. Al mes siguiente Shakespeare perdió a un viejo amigo, Augustine Phillips, uno de los primeros miembros de la compañía del Chambelán. Hombre extremadamente leal, Phillips dejó legados a la mayoría de sus compañeros, incluyendo «una moneda de treinta chelines de oro» para Shakespeare. Este, al parecer, se encontraba en Stratford en julio, donde invirtió 440 libras —cantidad muy elevada para la época— en la décima parte de los terrenos lindantes con su finca al norte de la villa. Allí conocería a su nuevo vecino de Clopton House, un católico joven y rico, Ambrose Rookwood. Es

El rey Cristián IV de Dinamarca, cuñado del rey Jacobo de Inglaterra. Biblioteca Nacional, París.

◀ Clopton House, en Stratford, una de las bases de la «Conspiración de la pólvora».

▲ Guy Fawkes y sus amigos, conspiradores católicos que intentaron hacer volar el Parlamento inglés mediante una carga de pólvora colocada en el sótano. Grabado del siglo XIX.

posible que estuviese aún en su casa (New Place) a principios de noviembre, pues la peste había vuelto a Londres y los teatros estaban cerrados. En tal caso, vería los disturbios del día 6. La «conspiración de la pólvora» había salido mal: Guy Fawkes había sido arrestado y los demás conspiradores huyeron a sus fortalezas en los Midlands, una de las cuales era Clopton House, que fue asaltada por los guardias del burgo, pero Rookwood ya había huido. Dos días después le detuvieron y fue ejecutado con Fawkes frente a la casa del Parlamento, que ambos habían intentado volar.

Los Hombres del Rey dieron diez funciones aquellas navidades y podemos imaginarnos a Jacobo, después de la representación de una de las obras de tema histórico de Shakespeare, llevando aparte al autor y sugiriéndole que, después de haber escrito tantas obras sobre la historia inglesa, debía intentar algo con un tema escocés, posiblemente sobre alguno de sus reales antecesores... Quizá no añadiera que estaba esperando para el verano una visita de su cuñado Cristián IV de Dinamarca. La obras teatrales representadas por su compañía serían parte esencial de las diversiones que se ofrecieran al ilustre huésped, y seguramente Cristián esperaría ver *El príncipe de Dinamarca*. Aparte de ser la más adecuada de sus obras para esta ocasión, *Hamlet* era también la más

was eight displeasant to him and his people, as shoulde appeare in that it was a custome many yeares after, that no knightes were made in Norway, excepte they were first sworne to reuenge the slaughter of theyr countreymen and frendes thus slayne in Scotland.

*The othe that knights make in Norway, to reuenge the death of theyr frendes.*

The Scottes hauing wonne so notable a victory, after they had gathered and diuided the spoyle of the field, caused solemne processions to be made in all places of the realme, and thankes to be giuen to almightie God, that had sent them so fayre a day ouer their enimies.

*Solemne processions for victory gotten.*

But whylest the people were thus at theyr processions, worde was brought that a newe fleete of Danes was arriued at Kingcorne, sent thither by Canute king of England in reuenge of his brothers Suenoes ouerthrow.

*A power of Danes arriue at Kyncorne out of England.*

To resist these enimies, whiche were already landed, and busie in spoiling the countrey, Makbeth and Banquho were sent with the kings authoritie, who hauing with them a conuenient power, encountred the enimies, slewe parte of them, and chased the other to their shippes. They that escaped and got once to theyr shippes, obtayned of Makbeth for a great summe of golde, that suche of theyr frendes as were slaine at this last bickering might be buried in Saint Colmes Inche. In memorie whereof, many olde sepultures are yet in the sayde Inche, there to be seene grauen with the armes of the Danes, as

*The Danes vanquished by Makbeth and Banquho.*

*Danes buried in S. Colmes Inche.*

the maner of burying noble men still is, and here-tofore hath bene vsed.

A peace was also concluded at the same time betwixte the Danes and Scottishmen, ratified as some haue wrytten in this wise. That from thence foorth the Danes shoulde neuer come into Scotlande to make any warres agaynst the Scottes by any maner of meanes.

*A peace concluded betwixte Scottes and Danes.*

And these were the warres that Duncane had with forrayne enimies in the seuenth yeare of his reygne.

Shortly after happened a straunge and vn-couth wonder, whiche afterwarde was the cause of muche trouble in the realme of Scotlande as ye shall after heare. It fortuned as Makbeth & Banquho iourneyed towarde Fores, where the king as then lay, they went sporting by the way togither without other companie, saue only them-selues, passing through the woodes and fieldes, when sodenly in the middes of a launde, there met them iij. women in straunge & wild apparell, re-sembling creatures of an elder worlde, whom when they attentiuely beheld, wondering much at the sight, The first of them spake & sayde: All hayle Makbeth Thane of Glammis (for he had latelye entred into that dignitie and office by the death of his father Synel.) The ij. of them said: Hayle Makbeth Thane of Cawder: but the third sayde: All hayle Makbeth that hereafter shall be king of Scotland.

*The prophesie of three women supposed to be the weird sisters or feiries.*

Then Banquho, what maner of women (saith he) are you, that seeme so litle fauourable vnto me, where as to my fellow here, besides highe offices, yee assigne also the kingdome, ap-pointyng foorth nothing for me at all? Yes sayth the firste of them, wee promise greater benefites vnto thee, than vnto him, for he shall reygne in in deede, but with an vnluckie ende: nepther shall he leaue any issue behynde him to succeede

in his place, where contrarily thou in deede shalt not reygne at all, but of thee those shall be borne whiche shall gouerne the Scottishe kingdome by long order of continuall discent. Herewith the foresayde women vanished immediatly out of theyr sight . This was reputed at the first a but some vayne fantasticall illusion by Mak-beth and Banquho, in so muche that Banquho woulde call Makbeth in ieste kyng of Scot-

*A thing to wonder at.*

D.ij.

*Historia de Macbeth en* Las crónicas de Inglaterra, Escocia e Irlanda, *de Raphael Holinshed. British Museum, Londres.*

*Hall's Croft, la casa en que vivió Susanna, hija de Shakespeare, después de su matrimonio con John Hall.*

Edwin Smith

famosa. La citaban todos en Londres y era representada en Alemania, e incluso lo había sido en alta mar. Shakespeare atendió este consejo y cuando terminó *Rey Lear* (que fue representado en la corte en diciembre), utilizó la historia escocesa tal como la encontró en las *Crónicas* de Holinshed. Allí halló la historia de Macbeth y empezó a escribirla. Desgraciadamente, la llegada de Cristián fue precedida por la peste y las fiestas tuvieron que desarrollarse fuera de la capital, así que fue en Greenwich donde los Hombres del Rey presentaron antes que sus rivales dos dramas, uno de los cuales debió de ser *Hamlet*. Pocos días después, en Hampton Court y con gran satisfacción de Jacobo, *Macbeth* siguió a *Hamlet*.

Las *Crónicas* de Holinshed, aunque poco valiosas, fueron de gran utilidad a Shakespeare, pero para las dos últimas tragedias prefirió la noble prosa de la traducción de Plutarco por Thomas North: *Vidas de los nobles griegos y romanos*. Quizá habría terminado *Coriolano* y empezado ya *Antonio y Cleopatra*, cuando, en junio de 1607, su hija mayor, Susanna, que ya era una mujer de veinticuatro años, se casó con el doctor John Hall. El joven médico se estaba ganando una gran reputación, no sólo en Stratford sino por toda la región e incluso más allá. Unos años después empezó Hall a compilar un libro de casos prácticos, *Observaciones*, tan estimado que fue traducido del original en latín y publicado en inglés veinte años después de su muerte. Hacia 1607, ya podía permitirse una vida cómoda y compró una casa cerca de la iglesia, ampliándola para incluir una impresionante sala de consulta y un dispensario. En esta casa se instaló con Susanna al casarse.

La casa de New Place sólo tenía ya dos ocupantes durante la mayor parte del año, Anne y Judith, y Shakespeare buscaba compañía a su esposa e hija menor para que no vivieran allí solas. El nuevo funcionario de la municipalidad, Thomas Greene, era primo lejano suyo, casado y con dos hijos pequeños, exactamente la familia que podía animar una casa grande como aquélla. Antes de regresar a Londres, Shakespeare hizo que se mudaran a New Place, sobrentendiéndose que se marcharían cuando él se retirase.

No tenía prisa por volver a la capital, pues la peste había cerrado de nuevo los teatros y su compañía andaba de gira. Pero regresó en noviembre, y el 28 de diciembre estaba en Whitehall para presentar una comedia. Este debió de ser el día en que murió su hermano Edmund, pues le enterraron en la iglesia del Salvador, a unos metros sólo de *El Globo*, en la mañana del día 31. Ignoramos a qué compañía se había unido. Quizá fuese asalariado en la del Rey y estuviera esperando a que se produjese una vacante para hacerse copropietario, pero podemos estar seguros de que fue su hermano quien pagó el costoso entierro.

Pocos meses después Shakespeare perdió a su madre. Es posible que ésta se hubiese ido a vivir a New Place al morir su esposo, pero parece más probable que permaneciera en la calle Henley con Joan y los dos nietecitos. La casa pertenecía ahora a Shakespeare, que se la dejó a su hermana y a su cuñado en alquiler, y quizá los hermanos solteros vivieran en la mitad este del edificio, donde aún llevaban el negocio del padre. Pero más importante que la muerte de su madre fue para Shakespeare el nacimiento de un nieto. En febrero Susanna dio a luz una niña.

El nacimiento de Elizabeth Hall, en 1608, coincidió con importantes acontecimientos en los asuntos de los Hombres del Rey. La compañía infantil de los Revels había tropezado con dificultades y en agosto su director devolvió el teatro de *Blackfriars* a sus dueños, los hermanos Burbage, que formaron una sociedad de siete personas incluyendo a Shakespeare, Heminge y Condell. La compañía tenía ya un nuevo teatro a la otra orilla del río para actuar en invierno. Era una adquisición de enorme significado, pues de esta

*John Fletcher (1579-1625) y Francis Beaumont (1584-1616). National Portrait Gallery, Londres.*

forma los Hombres del Rey se convertían en la primera compañía de actores adultos que actuaba con regularidad en un pequeño teatro cubierto. Evidentemente, esta novedad implicaba modificaciones, no sólo en su estilo de puesta en escena, sino también en el tipo de obras. *El Globo* era un teatro abierto, frío y aireado en invierno, donde cabían de dos a tres mil espectadores, la mitad de los cuales tenían que permanecer de pie en el patio. El *Blackfriars*, en cambio, era acogedor e íntimo y sólo cabían en él de dos a tres centenares de personas, todas sentadas. Además, el público de *El Globo* era como una pequeña muestra de la sociedad, desde el cortesano al carretero, pero sólo las clases más ricas y educadas podían permitirse los asientos del *Blackfriars*. Se necesitaba algo de menor escala que las titánicas tragedias de Shakespeare, y los Hombres del Rey contrataron a dos jóvenes dramaturgos que ya habían escrito para los muchachos que antes trabajaban en ese local. Así empezó la famosa colaboración de Beaumont y Fletcher y su serie de «Romances cortesanos y sentimentales», de escasa rela-

# The Maids Tragedie.

## AS IT HATH BEENE

diuers times Acted at the *Black-Friers* by
the Kings Maiesties Seruants.

Newly perused, augmented, and inlarged, This second Impreſſion.

ASPATIA.          AMINTOR.

LONDON,
Printed for *Francis Conſtable,* and are
to be ſold at the White LION in
*Pauls* Church-yard. 1622.

*Portada de una de las primeras ediciones de* La tragedia de la doncella, *obra de Fletcher y Beaumont. Según John Aubrey, estos dos autores «vivieron juntos en Bankside, no lejos del teatro, solteros ambos; yacían juntos, tenían en la casa, para los dos, una fulana a la que admiraban mucho; la misma ropa, capa, etc., para ambos».*

ción con la vida real. Y así empezó a degenerar el viril drama isabelino que se había desarrollado en los teatros abiertos.

También Shakespeare empezó a escribir para el escenario del *Blackfriars.* Habiendo llevado a la perfección su arte trágico en *Antonio y Cleopatra,* se dedicó de nuevo a la comedia ligera, aunque la abordó de un modo más serio y lírico que sus comedias de la época intermedia; en noviembre tenía escrita *Pericles,* la historia de Marina, la que nació en el mar. Es evidente que se inspiró en su nieta, inspiración que continuó en sus tres últimas comedias, cuyo tema esencial es la historia de jóvenes heroínas: *Imogen, Perdita* y *Miranda.* Después del esfuerzo de cuatro años de tragedia, debió de experimentar un gran alivio.

# 8. Ultimos años

Quizá la publicación de *Rey Lear* en 1608, seguido por *Pericles* y *Troilo y Cresida*, en 1609, tuviera algo que ver con la necesidad de reunir dinero para la aventura del *Blackfriars*, aunque los textos de las dos primeras de esas obras son lo bastante malos como para que podamos creer que hubo piratería. También los *Sonetos*, aparecidos por fin en 1609, pueden haber sido editados sin permiso de Shakespeare. Estas fueron las últimas obras suyas publicadas mientras vivió, aunque los *quartos* que ya habían sido impresos continuaron reeditándose, y su popularidad queda aún más probada por las obras que aparecieron con su nombre lanzadas por libreros más ambiciosos que honestos. Por ejemplo, *Una tragedia del Yorkshire*, comedia de la compañía del Rey, fue publicada en 1608 como «escrita por W. Shakspeare».

Es probable que Shakespeare gastase mucho en 1609 en su casa de New Place e ingresase poco, pues la peste cerró los teatros durante casi todo el año. Esta repetición anual de la peste en Londres tenía que hacerle pensar inevitablemente en la conveniencia de retirarse a Stratford, pero decidió esperar un año más, y en septiembre Thomas Greene le escribió que podía «seguir otro año en New Place». Pero 1610 no resultó mejor: a finales de junio las muertes causadas por la epidemia iban aumentando, los teatros volvieron a cerrar, los actores una vez más recorrieron el país y Shakespeare, que tenía ya cuarenta y seis años, abandonó su alojamiento de Londres y se retiró a Stratford, donde terminó *Cuento de invierno*.

Irónicamente, la peste cesó poco después de su marcha y no volvió a afectar a Londres durante el resto de la vida de Shakespeare, de modo que es probable que en los dos años siguientes William pasara tanto tiempo como siempre con su compañía. Debía de estar con ellos cuando cruzaron el río, pasando del *Blackfriars* a *El Globo*, en abril, y representaron *Macbeth*, *Cuento de invierno* y *Cymbeline*. Asistió a las representaciones el médico y astrólogo Simon Forman, el cual escribió unos comentarios sobre las tres obras en su *Libro de comedias*. Es lástima que sólo fueran resúme-

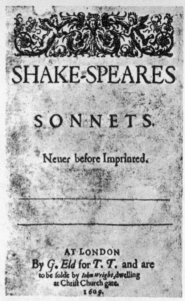

SHAKE-SPEARES

SONNETS.

Neuer before Imprinted.

AT LONDON
By *G. Eld* for *T. T.* and are
to be solde by *Iohn Wright*, dwelling
at Chriſt Church gate.
1609.

*Página del* Book of Plaies, *de Simon Forman, con la descripción de una representación de* Cuento de invierno *(Bodleian Library, Oxford). Al lado. portada de los Sonetos, de Shakespeare, publicados en 1609 (British Museum, Londres).*

nes de los argumentos. Por lo visto, lo que más le gustó fue el personaje del médico en *Macbeth*. Si nos hubiera dejado una descripción de las representaciones mismas y de cómo Burbage encarnaba a Macbeth y a Leontes, Forman habría logrado la fama que ambicionaba sin el desesperado recurso de suicidarse unas semanas después, en la fecha que había predicho para su muerte.

En el otoño anterior, Shakespeare había leído la relación del naufragio de sir George Somers en las Bermudas y es probable que hablase con algunos supervivientes. Ese hecho le conmovió mucho, pues las tormentas y los naufragios le preocupaban por esta época, y en 1611 escribió su última obra, la más atractiva de ellas, *La tempestad*. Es casi seguro que estaba en Whitehall el 1 de noviembre cuando se representó al empezar los Revels. También montaron *Cuento de invierno*. Los Hombres del Rey representaron en total veintidós obras en aquella temporada, que se prolongó hasta finales de abril.

Shakespeare permaneció en Londres un poco más. No tenía otro remedio, pues le citaron como testigo en el juicio por demanda de Stephen Belott contra su suegro por no haber entregado éste la dote prometida. El 11 de mayo de 1612, «William Shakespeare, de Stratford upon Aven, caballero, de 48 años de edad aproximadamente», fue interrogado por un abogado. Nos resulta extraño oír el eco de su voz. Sí, conocía a los Mountjoy desde hacía diez años y

«Una comedia llamada La tempestad». *Cuentas de los* Revels *de 1611-12. Public Record Office.*

había contribuido a convencer a Stephen, «un servidor muy bueno e industrioso», para que se casara con Mary. Era cierto que Mountjoy había prometido una dote, pero ya no recordaba a cuánto ascendía y tampoco se acordaba de cuánto había de ser la parte de la muchacha en la herencia. Su testimonio sirvió de poco, pero no había razón para que recordase estos detalles después de ocho años. Cuando terminó su declaración se marchó a Stratford. Tenía trabajo en perspectiva.

Su retiro o semirretiro hubiera sido desastroso para los Hombres del Rey si Beaumont y Fletcher no hubiesen estado allí para proporcionarles nuevas comedias, que se estaban haciendo casi tan populares como las de Shakespeare. Por eso, cuando Beaumont se casó con una rica heredera y abandonó el teatro, se vieron en un gran apuro. Fletcher necesitaba el estímulo de un colaborador y, hasta que encontró a otro entre los jóvenes, imploró a Shakespeare que escribiera con él. El trabajo no sería duro: bastaría con que pusiera en marcha la comedia con los principales temas y personajes, y Fletcher haría lo demás. Shakespeare accedió en seguida y empezó a hilvanar *Cardenio*, obra que se ha perdido, aunque fue representada en los Revels de 1612-1613. Estas fueron las fiestas más brillantes del reinado por celebrarse la boda de la hija de

Jacobo, Isabel, con el elector palatino; y Shakespeare debió de estar allí para supervisar la puesta en escena de *La tempestad*, *Julio César*, *Mucho ruido...*, *Otelo*, *Cuento de invierno* y las dos partes de *Enrique IV*. Es casi seguro que *La tempestad* se escenificó la víspera de los esponsales y quizá podamos imaginarnos a Shakespeare interpretando aquella noche su último papel —el de Próspero—, bendiciendo a los novios que eran sólo niños y deseándoles la felicidad que en seguida iba a escapárseles.

Las fiestas se malograron con la repentina muerte de Enrique, príncipe de Gales y joven prometedor. Pero después de una breve pausa fueron reanudadas. En marzo, antes de que terminaran, Shakespeare compró la casa del priorato de Blackfriars, cerca del teatro, obteniendo parte del dinero con una hipoteca, transacción en la que le ayudaron sus amigos John Heminge y William Johnson, dueño de *Mermaid Tavern* («La taberna de la Sirena»). Era precisamente en *Mermaid Tavern*, cerca de San Pablo, donde Shakespeare, Jonson, Fletcher, Donne y otros destacados ingenios so-

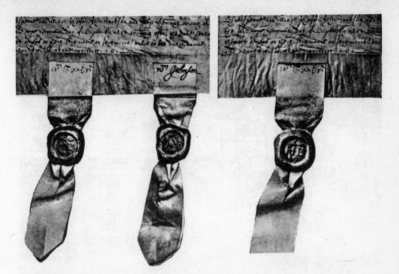

*Documentos lacrados relativos a la casa comprada por Shakespeare en Londres, en 1613, y a la hipoteca de la misma (derecha). Guildhall Library y British Museum, Londres.*

◄ *La princesa Isabel y el elector palatino, en cuyos esponsales se celebró una representación de* The Tempest *(La tempestad). British Museum, Londres.*

lían reunirse y cenar el primer viernes de cada mes. Pocos días después, William se asoció con otro viejo amigo, Dick Burbage, para un asunto muy distinto: la realización de una «impresa» para el duque de Rutland. Se trataba de una divisa pintada sobre el escudo de armas portado por el escudero del duque. Sabemos que Burbage era aficionado a la pintura y parece que también Shakespeare lo fue.

A mediados de abril el elector e Isabel se marcharon a Alemania y la corte salió de Londres, pero Shakespeare probablemente se quedaría allí. Fletcher acababa de concluir la historia de *Enrique VIII* que Shakespeare le había medio escrito y que pronto sería representada en *El Globo*. Sin embargo, quizá estuviese ya de regreso en Stratford aquel fatídico martes, 29 de junio, en que *El Globo* ardió por completo durante la representación de dicha obra. El taco de un cañón disparado a la entrada del rey Enrique incendió el techo de paja y al cabo de una hora se hundieron las galerías, cayendo después al patio. El «Cielo» y el «Infierno» se consumieron

*El antiguo taller del padre de Shakespeare convertido en mesón con el rótulo de «The Swan and Maidenhead» («El Cisne y la Virginidad»). Litrografía de C. Graf, 1851. Trustees of Shakespeare's Birthplace.*

*El segundo teatro de El Globo. El Blackfriars es probablemente el largo edificio que aparece por encima y a la derecha de la bandera. Tomado de Long Wiew, obra sobre Londres escrita por Wenceslas Hollar, 1647. Guildhall Library, Londres.*

entre las llamas. El público se salvó de milagro y «sólo se le quemaron a uno las polainas, lo que probablemente habría acabado con él si a un hombre ingenioso no se le hubiera ocurrido regarle con una botella de cerveza». «Sólo perecieron –se nos dice– la madera y la paja y unas cuantas capas abandonadas.» Si los Hombres del Rey guardaban su depósito de comedias en el teatro de *El Globo*, de algún modo las salvaron y con ellas el valiosísimo manuscrito de las obras de Shakespeare. A los comediantes les correspondió costear la reconstrucción del teatro y es posible que Shakespeare cediera su parte a un miembro más activo de la compañía.

A partir de entonces pasó casi todo el tiempo en Stratford. Tanto Gilbert como Richard habían muerto el año anterior. El viejo taller del padre fue alquilado y convertido en una posada con el rótulo de «El Cisne y la Virginidad», y Joan y su familia –ya había tres chicos– quedaron como dueños absolutos de la casa de la calle Henley. Lo malo era que no había ya niños pequeños en la casa de los Hall. Elizabeth era la única hija de Susanna, a la cual tuvo que librar Shakespeare, cuando volvió de Londres, de una calumniosa

acusación. Algunos de sus viejos amigos, Richard Quiney entre ellos, se habían marchado, pero otros seguían en Stratford: por ejemplo, Henry Walker, de cuyo hijo menor era padrino Shakespeare, sus vecinos Hamnet y Judith Sadler, padrinos de los hijos de él, y dos puertas más allá de New Place vivía Julyne Shaw. Los hermanos John y Anthony Nash vivían en Old Stratford, y en Clifford Chambers, al otro lado del río, estaba sir Henry Rainsford, en cuya casa se alojaba a veces Michael Drayton. Thomas Russell vivía un poco más lejos, en su casa de campo de Aldminster. Además, por allí andaba el rico solterón y prestamista John Combe, que murió en julio de 1614, el día después del tercer gran incendio de los que asolaron la villa, y fue enterrado junto al altar de la iglesia parroquial. Combe dejó cinco libras a Shakespeare, quien probablemente encontró al escultor que hizo la tumba y la efigie de Combe, Gerard Johnson, albañil de Bankside.

Por entonces Shakespeare estaba implicado en un plan para cercar los campos que rodeaban su finca. Aunque no era uno de los organizadores, como dueño de esas tierras la reforma le afectaría favorablemente. Sin embargo, su actitud es vacilante y el principal interés de la controversia está en las notas tomadas por Thomas Greene, el cual, como funcionario municipal, había sido designado por la corporación para impedir el cercado. Es posible que Shakespeare fuese a Londres para la reapertura de *El Globo* (reconstruido «de forma mucho más bonita que antes», con un techo de tejas sobre las galerías en vez de paja), pues quería ver lo que había aportado Fletcher a *Los dos nobles parientes*, obra en la que colaboraba con él, y apenas había escrito nada. Lo cierto es que estaba allí en noviembre, con John Hall, cuando Greene fue a visitarle para ver «cómo seguía» y preguntarle cómo iban las cosas en Stratford. Su «primo Shakspeare» le aseguró que aunque «quieren cercar las tierras en abril, acabarán no haciendo nada». Tenía razón, y en septiembre de 1615, Greene apuntó entre sus notas: «W. Shakespeare dice a J. Greene (el hermano de Thomas) que yo no estaba capacitado para cercar en Welcombe». Es la última referencia qu. tenemos de Shakespeare, antes del testamento que redactó pocos meses después.

Cuando estuvo en Londres, a finales de 1614, hablaría con Ben Jonson y se enteraría del proyecto de éste de publicar sus obras completas. Sin duda esto le haría pensar que él podría hacer lo mismo, pues ahora que Fletcher había encontrado nuevos colaboradores y los Hombres del Rey no le necesitaban ya con urgencia, ¿de qué mejor manera podría emplear esa tan anhelada disponibilidad de tiempo que preparando sus obras para una edición

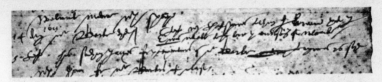

La última nota de Thomas Green sobre «mi primo Shakespeare». Trustees of Shakespeare's Birthplace.

conjunta parecida a la de Jonson? Sobre todo, porque su descuido en la publicación de sus obras había sido hasta entonces lamentable. En efecto, la mitad de ellas no habían llegado a publicarse y algunas se hallaban en un estado imposible para la imprenta; los textos ya impresos de muchas de las restantes eran de lo más inexacto y cuatro de las ediciones piratas *in quarto* nunca habían sido sustituidas por una versión auténtica. Tenía, pues, mucho trabajo para los años siguientes y podemos figurárnoslo en 1615 revisando y reescribiendo algunas de sus obras manuscritas –por ejemplo, la recalcitrante *Está bien lo que acaba bien*– en su estudio de New Place.

A principios de 1616 se preparaba la boda de Judith con Thomas Quiney, hijo de su viejo amigo Richard. Y en enero, hallándose «en perfecto estado de salud», Shakespeare hizo que Francis Collins, un procurador de Warwick, redactara un testamento para dejar sus bienes a sus dos hijas. Unas semanas después de la boda, celebrada el 10 de febrero, Shakespeare cayó gravemente enfermo. Según una vieja tradición, «Shakespeare, Drayton y Ben Jonson se habían reunido alegremente y parece ser que bebieron demasiado, pues Shakespeare murió de una fiebre a consecuencia de aquello». Es posible. Quizá estuviera Drayton en Clifford Chambers a principios de ese año, pero Jonson, en cambio, estaría demasiado ocupado con las mascaradas y demás fiestas de Whitehall. Quizá la alegre reunión, si realmente la hubo, se celebrara en Londres para festejar la publicación de la edición *in folio* de las obras de Jonson. Si Shakespeare cayó enfermo allí, tendría que estar muy grave a su llegada a Stratford después de recorrer a caballo casi ciento cincuenta kilómetros en un frío mes de marzo. Pero fuera como fuese, llamó otra vez a Collins y, después de revisar su testamento, lo firmó el 25 de marzo. Anne heredaba su propia dote y la única mención de ella que hace Shakespeare es la famosa ffase: «A mi esposa, la segunda de mis mejores camas.» Era la cama en que él se hallaba moribundo. A Judith le dejó una buena dote; a Joan, veinte libras, su «mejor ropa» para que la aprovechasen sus hijos y la casa de la calle Henley. Con unas pocas excepciones, todo el resto de sus bienes fue para Susanna y sus herederos varones si los

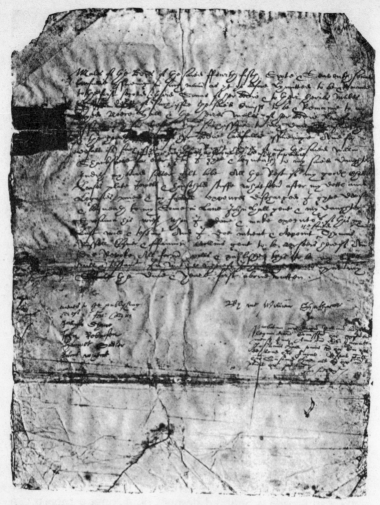

*«Ante mí, William Shakespeare...» Última de las dos páginas del testamento del escritor. La famosa frase «dejo a mi esposa la segunda de mis mejores camas...» es la insertada encima de la línea novena. Somerset House, Londres.*

*Iglesia de la Santísima Trinidad. En ella se encuentra el monumento funerario de ▶ Shakespeare, en el muro de la izquierda. Su tumba está en el suelo del santuario. La tumba de John Combe es la que aparece a la izquierda del altar.*

Edwin Smith

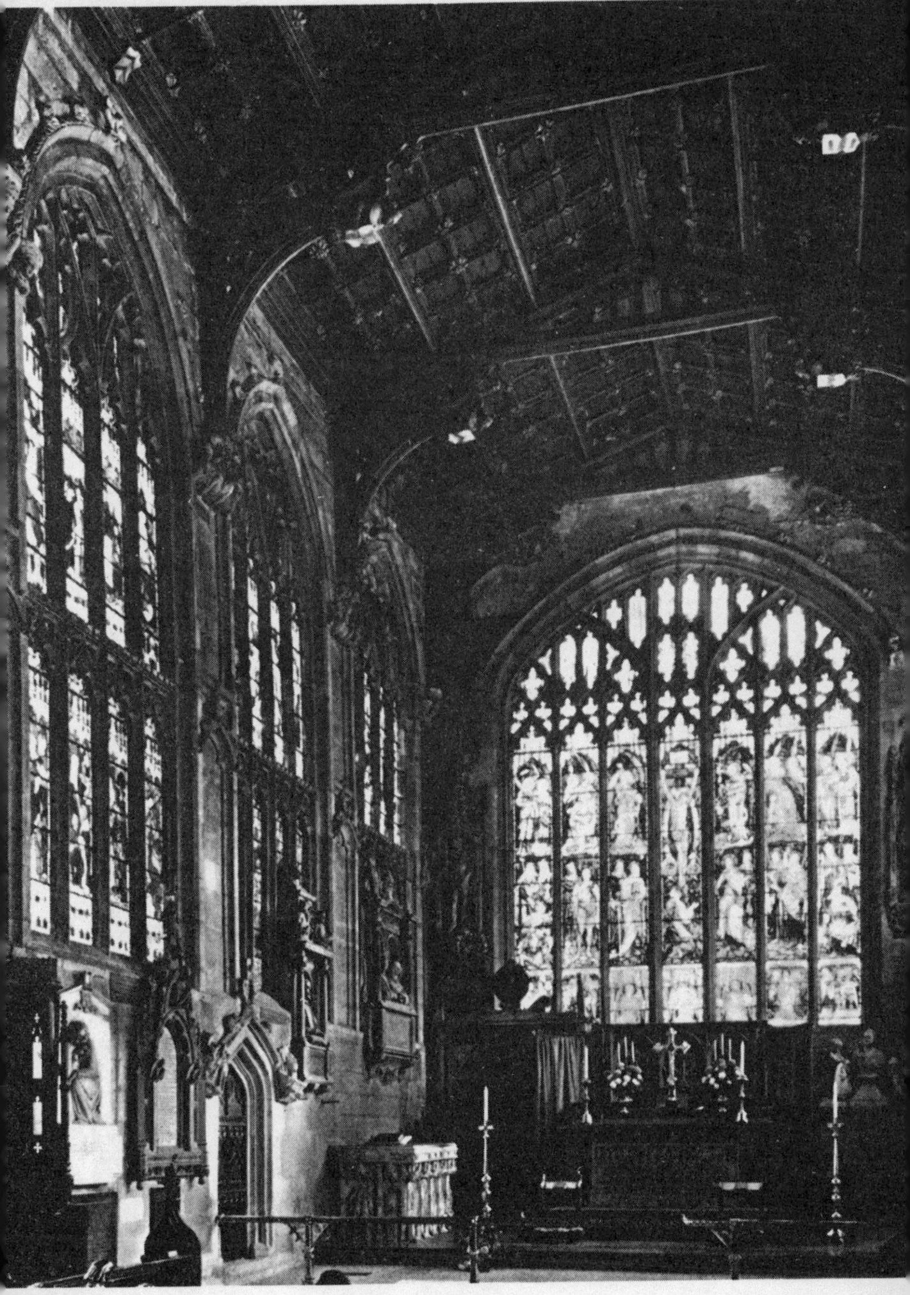

IVDICIO PYLIVM, GENIO SOCRATEM, ARTE MARONEM
TERRA TEGIT, POPVLVS MÆRET, OLYMPVS HABE[T]

STAY PASSENGER, WHY GOEST THOV BY SO FAST,
READ IF THOV CANST, WHOM ENVIOVS DEATH HATH PLAST,
WITH IN THIS MONVMENT SHAKSPEARE: WITH WHOME,
QVICK NATVRE DIDE: WHOSE NAME, DOTH DECK Y TOMBE,
FAR MORE, THEN COST: SIEH ALL, Y HE HATH WRITT,
LEAVES LIVING ART, BVT PAGE, TO SERVE HIS WITT.

OBIT ANO DO¹ 1616
ÆTATIS 53 DIE 23 AP¹

tenía. La muerte de Hamnet había imposibilitado su plan de fundar una familia, pero por lo menos los hijos de Susanna serían descendientes lineales suyos. Fue una esperanza fallida, porque Susanna sólo tuvo a Elizabeth, y ésta, aunque se casó dos veces, no tuvo descendientes. Los tres hijos de Judith murieron jóvenes y sólo sobrevivió la línea colateral de Joan y los Hart. Entre los legatarios menores estaban sus «compañeros John Hemynge, Richard Burbage y Henry Cundell», a los que dejó veintiséis chelines y ocho peniques «para que se compren anillos». Eran los únicos supervivientes de la compañía original del Chambelán, formada más de veinte años antes.

Su cuñado se estaba muriendo en la casa de la calle Henley, y el 17 de abril fue enterrado «Will Hartt, sombrerero». Seguramente, el doctor Hall los atendería a ambos. Fue él quien curó a Michael Drayton, «excelente poeta», de unas fiebres, pero no pudo salvar a este otro poeta aún más excelente. Shakespeare murió una semana después del entierro del marido de Joan, y es posible que ese día fuera su cincuenta y dos cumpleaños. El 25 de abril se lo llevaron de New Place, pasando por la capilla de la corporación y la escuela de gramática, un poco más abajo del camino de la iglesia por el que también le habían llevado a bautizar exactamente cincuenta y dos años antes, y fue enterrado frente al altar. Gerard Johnson fue el encargado de hacer el monumento instalado en el muro sobre su tumba.

# 9. El genio de Shakespeare

¿Qué había quedado de aquel muchacho provinciano que logró una fortuna en el teatro? La respuesta vino siete años después, cuando Heminge y Condell terminaron la tarea que Shakespeare les había encomendado: la preparación de sus obras para ser publicadas en un solo volumen. Si no hubiera sido por la devota admiración que estos dos hombres tuvieron a Shakespeare, la mitad de sus obras —incluyendo *Noche de Reyes* y *Macbeth, Antonio y Cleopatra* y *La tempestad*— habrían desaparecido sin llegar a ser publicadas, y de *Enrique V* y otras tres sólo nos quedarían las versiones mutiladas de los *quartos*. Pero los amigos de Shakespeare sacaron los valiosísimos manuscritos del depósito de los Hombres del Rey, algunos en los manuscritos originales y otros en buenas copias, y de allí se imprimieron las obras publicadas hasta entonces, así como las «mutiladas y deformadas por los fraudes y robos de los injuriosos impostores». El resto salió de las ediciones *in quarto*, corregidas con referencia a los manuscritos. Así, por tanto, quedaron las treinta y seis obras de la edición *in folio*, quizá el mayor logro creador de un solo hombre. Es un resultado espléndido.

Entre los poetas del mundo sólo hay uno o dos que puedan aproximarse a la talla de Shakespeare. ¿Quieren ustedes lírica pura? Ahí tienen las canciones, desde «Who is Silvia» en *Los dos caballeros de Verona*, hasta «Full Fathom Five» en *La tempestad*. ¿Tal vez prefieren sonetos? Hay ciento cincuenta, entre los que podemos escoger al azar:

> *¿A un día de verano compararte?*
> *Más hermosura y suavidad posées:*
> *Tiembla el brote de mayo bajo el viento*
> *y el estío no dura casi nada.*

O bien:

> *Cuando contemplo los árboles desnudos*
> *del ramaje que dio sombra a los rebaños*
> *y las mieses del estío agavilladas*
> *cual cadáver sobre el carro mortuorio,*
> *me pregunto qué será de tu belleza,*
> *pues también a ti ha de vencerte el tiempo.*

William Sly, m. en 1608, fue uno de los miembros más antiguos de la compañía de Shakespeare (Dulwich College). A la derecha, John Lowin (1576-1669?), otro de los actores de la compañía de Shakespeare. Encarnó en varias ocasiones a Falstaff, y en el papel de Enrique VIII «recibió instrucciones del propio Mr. Shakespeare en persona» (Ashmoleam Museum. Oxford).

Retrato del dramaturgo y actor Nathan Field (1587-1620). Cuando era uno de los Niños de la Capilla, fue el gran favorito de Jonson. Más tarde, sustituyó a Shakespeare en la compañía de los Hombres del Rey. Dulwich College.

MR. WILLIAM
# SHAKESPEARES
COMEDIES,
HISTORIES, &
TRAGEDIES.

Published according to the True Originall Copies.

*LONDON*
Printed by Isaac Iaggard, and Ed. Blount. 1623.

British Museum

Portada de la primera edición in folio de las obras de Shakespeare, 1623.

Una página de la misma edición. ▶

## To the great Variety of Readers.

Rom the most able, to him that can but spell: There
you are number'd. We had rather you were weighd.
Especially, when the fate of all Bookes depends vpon your capacities : and not of your heads alone,
but of your purses. Well! It is now publique, & you
wil stand for your priuiledges wee know : to read,
and censure. Do so, but buy it first. That doth best
commend a Booke, the Stationer saies. Then, how odde soeuer your
braines be, or your wisedomes, make your licence the same, and spare
not. Iudge your sixe-pen'orth, your shillings worth, your fiue shillings worth at a time, or higher, so you rise to the iust rates, and welcome. But, what euer you do, Buy. Censure will not driue a Trade,
or make the Iacke go. And though you be a Magistrate of wit, and sit
on the Stage at *Black-Friers*, or the *Cock-pit*, to arraigne Playes dailie,
know, these Playes haue had their triall alreadie, and stood out all Ap-
peales; and do now come forth quitted rather by a Decree of Court,
then any purchas'd *Letters of* commendation.

It had bene a thing, we confesse, worthie to haue bene wished, that
the Author himselfe had liu'd to haue set forth, and ouerseen his owne
writings; But since it hath bin ordain'd otherwise, and he by death de-
parted from that right, we pray you do not enuie his Friends, the office
of their care, and paine, to haue collected & publish'd them; and so to
haue publish'd them, as where (before) you were abus'd with diuerse
stolne, and surreptitious copies, maimed, and deformed by the frauds
and stealthes of iniurious impostors, that expos'd them : euen those,
are now offer'd to your view cur'd, and perfect of their limbes; and all
the rest, absolute in their numbers, as he conceiued thē. Who, as he was
a happie imitator of Nature, was a most gentle expresser of it. His mind
and hand went together: And what he thought, he vttered with that
easinesse, that wee haue scarse receiued from him a blot in his papers.
But it is not our prouince, who onely gather his works, and giue them
you, to praise him. It is yours that reade him. And there we hope, to
your diuers capacities, you will finde enough, both to draw, and hold
you : for his wit can no more lie hid, then it could be lost. Reade him,
therefore; and againe, and againe : And if then you doe not like him,
surely you are in some manifest danger, not to vnderstand him. And so
we leaue you to other of his Friends, whom if you need, can bee your
guides : if you neede them not, you can leade your selues, and others.
And such Readers we wish him.

Iohn Heminge.
Henrie Condell.

# The Workes of William Shakespeare,

### containing all his Comedies, Histories, and
#### Tragedies: Truely set forth, according to their first
#### ORIGINALL.

## The Names of the Principall Actors
### in all these Playes.

 Illiam Shakespeare.

Richard Burbadge.

John Hemmings.

Augustine Phillips.

William Kempt.

Thomas Poope.

George Bryan.

Henry Condell.

William Slye.

Richard Cowly.

John Lowine.

Samuell Crosse.

Alexander Cooke.

Samuel Gilburne.

Robert Armin.

William Ostler.

Nathan Field.

John Underwood.

Nicholas Tooley.

William Ecclestone.

Joseph Taylor.

Robert Benfield.

Robert Goughe.

Richard Robinson.

Iohn Shancke.

Iohn Rice.

*Relación de los principales actores que intervinieron en las obras de Shakespeare y, en la página siguiente, catálogo de sus obras, divididas en comedias, obras históricas y tragedias. Ambas son páginas de la edición de 1623.*

# A CATALOGVE

of the seuerall Comedies, Histories, and Tragedies contained in this Volume.

# THE
# TEMPEST.

## Actus primus, Scena prima.

*A tempestuous noise of Thunder and Lightning heard: Enter a Ship-master, and a Botefwaine.*

**Master.**

BOte-swaine.

*Botef.* Heere Master: What cheere?

*Maft.* Good: Speake to th'Mariners: fall too't, yarely, or we run our selues a ground, bestirre, bestirre. *Exit.*

*Enter Mariners.*

*Botef.* Heigh my hearts, cheerely, cheerely my harts: yare, yare: Take in the toppe-sale: Tend to th'Masters whistle: Blow till thou burst thy winde, if roome enough.

*Enter Alonso, Sebastian, Anthonio, Ferdinando, Gonzalo, and others.*

*Alon.* Good Botefwaine haue care: where's the Master? Play the men.

*Botef.* I pray now keepe below.

*Anth.* Where is the Master, Boson?

*Botef.* Do you not heare him? you marre our labour, Keepe your Cabines: you do assist the storme.

*Gonz.* Nay, good be patient.

*Botef.* When the Sea is: hence, what cares these roarers for the name of King? to Cabine; silence: trouble vs not.

*Gon.* Good, yet remember whom thou hast aboord.

*Botef.* None that I more loue then my selfe. You are a Counsellor, if you can command these Elements to silence, and worke the peace of the present, wee will not hand a rope more, vse your authoritie: If you cannot, giue thankes you haue liu'd so long, and make your selfe readie in your Cabine for the mischance of the houre, if it so hap. Cheerely good hearts: out of our way I say. *Exit.*

*Gon.* I haue great comfort from this fellow: methinks he hath no drowning marke vpon him, his complexion is perfect Gallowes: stand fast good Fate to his hanging, make the rope of his destiny our cable, for our owne doth little aduantage: If he be not borne to bee hang'd, our case is miserable. *Exit.*

*Enter Botefwaine.*

*Botef.* Downe with the top-Mast: yare, lower, lower, bring her to Try with Maine-course. A plague——

*A cry within. Enter Sebastian, Anthonio & Gonzalo.*

vpon this howling: they are lowder then the weather, or our office: yet againe? What do you heere? Shal we giue ore and drowne, haue you a minde to sinke?

*Sebaf.* A poxe o'your throat, you bawling, blasphemous incharitable Dog.

*Botef.* Worke you then.

*Anth.* Hang cur, hang, you whorson insolent Noysemaker, we are lesse afraid to be drownde, then thou art.

*Gonz.* I'le warrant him for drowning, though the Ship were no stronger then a Nutt-shell, and as leaky as an vnstaunched wench.

*Botef.* Lay her a hold, a hold, set her two courses off to Sea againe, lay her off.

*Enter Mariners wet.*

*Mari.* All lost, to prayers, to prayers, all lost.

*Botef.* What must our mouths be cold?

*Gonz.* The King, and Prince, at prayers, let's assist them, for our case is as theirs.

*Sebaf.* I'am out of patience.

*An.* We are meerly cheated of our liues by drunkards, This wide-chopt-rascall, would thou mightst lye drowning the washing of ten Tides.

*Gonz.* Hee'l be hang'd yet, Though euery drop of water sweare against it, And gape at widst to glut him. *A confused noyse within.* Mercy on vs.

We split, we split, Farewell my wife, and children, Farewell brother: we split, we split, we split.

*Anth.* Let's all sinke with' King

*Seb.* Let's take leaue of him. *Exit.*

*Gonz.* Now would I giue a thousand furlongs of Sea, for an Acre of barren ground: Long heath, Browne firrs, any thing; the wills aboue be done, but I would faine dye a dry death. *Exit.*

## Scena Secunda.

*Enter Prospero and Miranda.*

*Mira.* If by your Art (my deerest father) you haue Put the wild waters in this Rore, alay them: The skye it seemes would powre down stinking pitch, But that the Sea, mounting to th' welkins cheeke, Dashes the fire out. Oh! I haue suffered With those that I saw suffer: A braue vessell

(Who

A

Make no Collection of it. Let him shew
His skill in the construction.

  *Lus.* *Philarmonus.*
  *Sooth.* Heere,my good Lord.
  *Lus.* Read,and declare the meaning.

*Reades.*

WHen as a Lyons whelpe, shall to himselfe vnknown, without seeking finde, and bee embrac'd by a peece of tender
Ayre: And when from a stately Cedar shall be lopt, branches,
which being dead many yeares, shall after reuiue, bee ioynted to
the old Stocke, and freshly grow, then shall Posthumus end his
miseries, Britaine be fortunate, and flourish in Peace and Plen-
tie.

Thou *Leonatus* art the Lyons Whelpe,
The fit and apt Construction of thy name
Being *Leonatus,* doth import so mucht
The peece of tender Ayre,thy vertuous Daughter,
Which we call *Mollis Aer,* and *Mollis Aer*
We terme it *Mulier*; which *Mulier* I diuine
Is this most constant Wife,who euen now
Answering the Letter of the Oracle,
Vnknowne to you vnsought,were clipt about
With this most tender Aire.
  *Cym.* This hath some seeming.
  *Sooth.* The lofty Cedar,Royall *Cymbeline* ∙
Personates thee: And thy lopt Branches,point
Thy two Sonnes forth : who by *Belarius* stolne
For many yeares thought dead,are now reuiu'd
To the Maiesticke Cedar ioyn'd; whose Issue

Promises Britaine, Peace and Plenty.
  *Cym.* Well,
My Peace we will begin : And *Caius Lucius,*
Although the Victor,we submit to *Cæsar,*
And to the Romane Empire ; promising
To pay our wonted Tribute, from the which
We were disswaded by our wicked Queene,
Whom heauens in Iustice both on her,and hers,
Haue laid most heauy hand.
  *Sooth.* The fingers of the Powres aboue, do tune
The harmony of this Peace : the Vision
Which I made knowne to *Lucius* ere the stroke
Of yet this scarse-cold-Battaile, at this instant
Is full accomplish'd. For the Romaine Eagle
From South to West,on wing soaring aloft
Lessen'd her selfe, and in the Beames o'th'Sun
So vanish'd ; which fore-shew'd our Princely Eagle
Th'Imperiall *Cæsar,* should againe vnite
His Fauour,with the Radiant *Cymbeline,*
Which shines heere in the West.
  *Cym.* Laud we the Gods,
And let our crooked Smoakes climbe to their Nostrils
From our blest Altars. Publish we this Peace
To all our Subiects. Set we forward : Let
A Roman,and a Brittish Ensigne waue
Friendly together : so through *Luds-Towne* march,
And in the Temple of great Iupiter
Our Peace wee'l ratifie : Seale it with Feasts.
Set on there : Neuer was a Warre did cease
(Ere bloodie hands were wash'd) with such a Peace.

      *Exeunt.*

## FINIS.

*Printed at the Charges of W. Jaggard, Ed. Blount, I. Smithweeke,
and W. Aspley, 1623.*

La primera página de La tempestad y la última de la edición in folio de las obras completas de Shakespeare.

La misma espléndida poesía aparece en sus primeras comedias líricas:

> Era la alondra que anuncia la mañana
> y no el ruiseñor. Mira, amor mío,
> cómo los celosos rayos de luz
> dibujan la silueta de las nubes
> allá, por el oriente:
> se han apagado las velas de la noche
> y el día alegre despunta entre las cumbres.

Y en sus últimos poemas, Shakespeare vuelve a un lirismo similar, aunque más complicado y valioso:

> Narcisos,
> que llegan antes que la golondrina,
> y pueblan de belleza los vientos de marzo;
> violetas marchitas,
> pero más dulces que los párpados de Juno
> o la respiración de Citerea.

Pero Shakespeare no sólo fue un creador de poesía, sino de personajes, y en esto ningún otro poeta puede comparársele. Ningún otro escritor ha creado semejante censo de hombres y mujeres, serios y humildes, orgullosos y alegres, cómicos y trágicos, nobles e innobles: Launce, Bottom, Dogberry, Pistol, Autolycus, el ama de Julieta, la señora Quickly; Falstaff, Touchstone, Jaques, Feste, Malvolio, Parolles, Benedick; Julia, Beatriz, Rosalinda, Viola, Helena, Marina, Imogen, Perdita, Miranda; Ricardo II, Ricardo III, el Rey Juan, Enrique V, Hotspur, Bruto, Hamlet, Otelo, Yago, Lear, Macbeth; Julieta, Desdémona, Cordelia, Volumnia, Lady Macbeth, Cleopatra... Y la lista podría extenderse indefinidamente. Lo maravilloso es que estas personas no son, en definitiva, sino palabras. Y aún mayor maravilla, que estas palabras, la poesía con que hablan, da vida a esos seres. Porque son ellos mismos la poesía. Así, ésta es Julieta:

> Ven, dulce noche; ven, noche amante y sombría,
> tráeme a mi Romeo; y cuando él muera,
> córtalo en estrellas diminutas,
> y volverá tan bella la bóveda celeste
> que el mundo entero se enamorará de la noche.

*Romeo y Julieta.* Julieta: *¡Buenas noches! ¡Buenas noches! La despedida es
un dolor tan dulce, que estaría diciendo «buenas noches» hasta que amaneciese.
(Acto II, escena II.)*

Y éste es Hamlet:

*Oh, mi buen Horacio, qué nefasta memoria*
*quedará de mi nombre, si estos hechos no son bien conocidos:*
*si alguna vez me amaste,*
*apártate algún tiempo de la felicidad,*
*y en este mundo cruel, extrae del dolor la fuerza suficiente*
*para contar mi historia.*

Y he aquí a Cleopatra:

> *Mirad, mujeres mías:*
> *la corona del mundo se ha fundido. ¡Mi señor!*
> *¡Oh! El laurel de la guerra está marchito,*
> *ha caído la estrella polar de los soldados:*
> *las adolescentes se igualan con los hombres;*
> *los mejores se han ido,*
> *y no queda ya nada que merezca la pena*
> *bajo el impulso de la luna.*

Y aquí tenemos al propio Shakespeare:

> *Nuestras fiestas acaban. Estos actores nuestros,*
> *como os predije, sólo eran espíritu,*
> *y se han esfumado en el aire, en finísimo aire.*
> *Y, lo mismo que la trama infundada de esta visión,*
> *los solemnes templos, el gran Globo incluso,*
> *todo ello se disolverá,*
> *y, al igual que este espectáculo desvanecido,*
> *no dejará tras de sí ninguna huella.*
> *Somos de la materia de que están hechos los sueños;*
> *y nuestra pequeña vida al dormirnos se completa.*

Aunque Shakespeare es tan escurridizo, por ser tan proteico, y siempre cambia de un personaje a otro, su espíritu impregna sus obras y no las leemos sólo por la poesía y los personajes que encontramos en ellas, sino también por el hombre que él fue. Eso es lo que, por encima de todo, las hace tan consoladoras. Las leemos por su genial sabiduría, porque iluminan la vida de un modo deslumbrante, por su alegría e ingenio, por su cordura esencial; porque su autor fue un hombre ejemplar cuyas facultades estaban todas ellas perfectamente armonizadas. Leemos a Shakespeare porque es el hombre a quien todos querríamos tener por amigo.

# Algunos personajes del teatro de William Shakespeare

*Hamlet y los actores. Hamlet: Está bien. Ya te haré recitar luego lo que resta. (Acto II, escena II.)*

Malvolio *(leyendo): Unos nacen nobles, otros adquieren nobleza, y otros, por último, están obligados a ser los más nobles. (Twelfth Night, acto II, escena V.)*

*Doble página anterior, la muerte de Antonio. Cleopatra: Mirad, mujeres mías; la corona del mundo se ha fundido. (Acto IV, escena XV.)*

*Helena y la condesa.* Helena: *Señora, mi esposo se ha marchado, se ha marchado para siempre.* (All's well that ends well, *acto IV, escena II.*)

Doble página siguiente, *Dogberry y el guardián.* Dogberry: *¿No te infunde sospechas mi cargo? ¿No te infunde sospechas mi edad?* (Much ado about nothing, *acto IV, escena II.*)

*Bruto y Porcia. Bruto: No os pongáis de rodillas, gentil Porcia. Porcia: Necesitaría hacerlo si vos fuerais el gentil Bruto. (Julio César, acto II, escena I.)*

*Lear y Gloucester. Lear: Aquí tienes tu paga y señal. (Acto IV, escena VI.)*

Doble página siguiente, *Pericles y Marina.* Marina: *Mi nombre es Marina.* Pericles. *¡Oh, el destino se burla de mí y algún dios irritado te envía para que sirva de irrisión al mundo! (Pericles, prince of Tyre, acto V, escena I.)*

*El combate entre Macbeth y Macduff. Macduff: ¡Vuélvete, perro del infierno, vuélvete! Macbeth: Entre todos los hombres, sólo a ti te he evitado. Mi espíritu ya está demasiado cargado con la sangre de los tuyos. (Acto IV, escena VII.)*

Píramo: *¡Venid lágrimas, destruidme! ¡Sal, espada, y hiere el pecho de Píramo!*
(Midsummer Night's Dream, *acto V, escena I).*

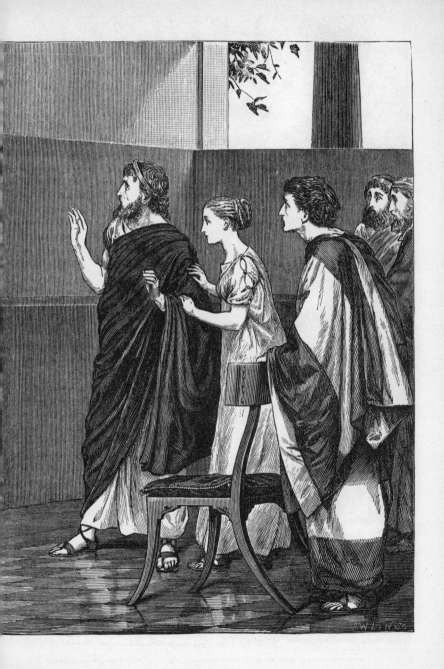

*Armado y Costardo. Armado: Lleva esta nota a la campesina Jaquenetta; aquí está la recompensa. (Love's Labour's Lost, acto III, escena I.)*

*Doble página anterior. Hermione y Leontes. Paulina: Presentadle vuestra mano. Cuando era joven la cortejabais. Ahora que tiene más edad es ella la que hace las insinuaciones. (Winter's Tale, acto V, escena III.)*

GOOD FREND FOR IESVS SAKE FORBEARE,
TO DIGG THE DVST ENCLOASED HEARE:
BLESE BE Y MAN Y SPARES HES STONES
AND CVRST BE HE Y MOVES MY BONES.

*Sweet Swan of* Auon! *what a sight it were*
  *To see thee in our waters yet appeare,*
*And make those flights vpon the bankes of* Thames,
  *That so did take* Eliza, *and our* Iames !
*But stay, I see thee in the* Hemisphere
  *Aduanc'd, and made a Constellation there !*
*Shine forth, thou Starre of* Poets, *and with rage,*
  *Or influence, chide, or cheere the drooping Stage;*
*Which, since thy flight frō hence, hath mourn'd like night,*
  *And despaires day, but for thy Volumes light.*

BEN: IONSON.

*Lápida sepulcral de Shakespeare en la iglesia de la Santísima Trinidad de Stratford.*

*El epitafio dice: «Buen amigo, por el amor de Jesús absténte de extraer
el polvo aquí encerrado. Bendito sea el hombre que respete estas piedras y maldito
aquel que remueva mis huesos.»*

*Un fragmento de la elegía de Ben Jonson en honor de Shakespeare.*

AGRADECIMIENTO

El autor agradece la cortesía de los que han autorizado la reproducción del material que se hallaba en su posesión, y aprovecha esta oportunidad para dar las gracias a Mr. Levi Fox, director de la Casa Natal de Shakespeare, Mr. John Summerson, conservador del Museo de Sir John Soane, y a Mr. Arthur Boyars, por la ayuda prestada en la obtención de algunas de las ilustraciones.

# Cronología

1564    23 de abril: nace en Stratford-upon-Avon William Shakespeare, tercero de los ocho hijos de John Shakespeare, comerciante que ocupó varios cargos municipales.

1572    Noche de San Bartolomé: matanza de hugonotes en París.

1576    James Burbage construye en Londres *El Teatro*, primera sala pública de Inglaterra.

1582    Noviembre: matrimonio de W. Shakespeare con Anne Hathaway.

1583    Mayo: nacimiento de su hija Susanna.

1585    Febrero: nacimiento de sus hijos mellizos Hamnet y Judith.

1587    Ejecución de María Estuardo. Llegada de Shakespeare a Londres e ingreso en la compañía de la Reina.

1588    Derrota de la Armada Invencible.

1589    Comienza a escribir los *Sonetos*.

1590    Escribe la segunda y tercera parte de *Enrique VI*.

1591    Completa la primera parte de *Enrique VI*.

1592    Epidemia de peste en Londres, que se prolonga durante todo el año siguiente. Escribe *Venus y Adonis* y *La comedia de las equivocaciones*.

1593    La peste obliga a cerrar los teatros londinenses. Escribe su poema *La violación de Lucrecia* y *Trabajos de amor perdidos*.

1594    Se funda la compañía del Chambelán, en la que Shakespeare ingresa. Escribe *Los dos caballeros de Verona*.

1595    Construcción del teatro *El Cisne*. Se concede a John Shakespeare el título de *gentleman*, hereditario, con derecho a escudo de armas. Shakespeare termina *Romeo y Julieta* y *Ricardo II*.

1596    Muerte de su hijo Hamnet. Escribe *El sueño de una noche de verano* y *El mercader de Venecia*.

1597    Shakespeare adquiere una casa en el centro de Stratford: New Place. Escribe las dos partes de *Enrique IV*.

1598    Aparece *Tesoro del ingenio*, de Francis Meres, fuente importante de datos sobre Shakespeare como autor dramático. Escribe *Mucho ruido por nada* y *Enrique V*.

1599    Se derriba *El Teatro*, y algunos de sus materiales servirán para la construcción de un nuevo local, *El Globo*, inaugurado este mismo año. Escribe *Julio César*.

1600    Escribe *Las alegres comadres de Windsor* y *Hamlet*, y termina los *Sonetos*.

1601    Rebelión fallida del conde de Essex contra Isabel I. Muere en Stratford el padre de Shakespeare.

1602    Compra de la finca de Old Stratford.

1603    Muerte de Isabel I y subida al trono de Jacobo I.
        19 de mayo: la compañía del Chambelán cambia su nombre por el de los Hombres del Rey. Escribe *Medida por medida*.

1604    Escribe *Otelo*.

1605    Conspiración de la pólvora. Escribe *Rey Lear*.

1606    Escribe *Macbeth*.

1607    Su hija Susanna contrae matrimonio, en junio, con John Hall. Escribe *Pericles* y *Marco Antonio y Cleopatra*.

1608    En septiembre muere la madre de Shakespeare. Los Hombres del Rey toman posesión del teatro cubierto de Blackfriars. Escribe *Coriolano* y *Timón de Atenas*.

1609    Nueva epidemia de peste en Londres. Shakespeare establece su residencia en Stratford. Escribe *Cymbeline*.

1610    Shakespeare escribe *Cuento de invierno*.

1611    Escribe *La tempestad*.

1612    Escribe *Enrique VIII*.

1613    Boda de Isabel, hija de Jacobo I, con el elector palatino. Muerte de Enrique, príncipe de Gales. Incendio y destrucción de *El Globo*.

1616    Febrero: matrimonio de su hija Judith con Thomas Quiney.
        Abril: Muerte de William Shakespeare en su ciudad natal.

1623    Se publican las obras de Shakespeare en un solo volumen *in folio* preparado por Heminge y Codell.

# Testimonios

## Voltaire
Shakespeare, a quien los ingleses tienen por un Sófocles, vivió más o menos en la época de Lope de Vega; fue el creador de un teatro; poseía un genio lleno de fuerza y fecundidad, lleno de naturalidad, sublime, sin el menor asomo de buen gusto y sin el menor conocimiento de las reglas.
(*Cartas filosóficas*, 1734)

## Diderot
Para que una cosa sea bella, de acuerdo con las normas del buen gusto, es preciso que sea elegante, acabada, trabajada, pero sin que se note; para que sea genial, ha de poseer un aire irregular, escarpado, salvaje. Lo sublime y lo genial brillan en Shakespeare como relámpagos en la noche profunda, y Racine sigue siendo hermoso.
(*Enciclopedia*, 1757)

## Mme. de Staël
Shakespeare abre una nueva literatura: está, sin duda, impregnado del espíritu y el color general de las poesías del Norte, pero ha sido él quien ha dado impulso a la literatura de los ingleses, y carácter a su arte dramático... Ha sido Shakespeare el primero en describir las dos situaciones más profundamente trágicas que el hombre pueda concebir: me refiero a la locura causada por la desgracia y a la soledad en el infortunio.
(*De la Littérature*, 1800)

## Stendhal
Mi admiración por Shakespeare crece día a día. Ese hombre no aburre jamás y es la imagen más perfecta de la naturaleza. Es el manual que me conviene.
(*Molière, Shakespeare, la Comédie et le Rire*, 1825)

## Victor Hugo
Shakespeare posee la tragedia, la comedia, la magia, el himno, la farsa, la amplia risa divina, el terror y el horror y, para decirlo en una palabra, el drama. Toca los dos polos. Pertenece al Olimpo y al teatro de feria. No le falta ninguna posibilidad... Al abordar la obra de este hombre se siente ese viento enorme que parece proceder de la apertura de un mundo. El resplandor del genio en todas las direcciones: eso es Shakespeare. *Totus in antithesi*, como dice Jonathan Forbes.
(*William Shakespeare*, 1864)

## Lautréamont
Cada vez que he leído a Shakespeare me ha parecido que despedazaba la cabeza de un jaguar.
(*Poesías*, 1870)

## Antonin Artaud

El propio Shakespeare es el responsable de esta aberración y de esta degradación, de esta idea desinteresada del teatro que pretende que una representación teatral deje al público intacto, que ninguna imagen provoque una quiebra en su organismo, que no deje en él esa impronta que no se borra nunca más. Si en Shakespeare el hombre siente alguna vez preocupación por algo que le desborda, se trata siempre, en definitiva, de las consecuencias de esta preocupación en el hombre, es decir, de la psicología. Y me parece que el teatro, y nosotros mismos, debemos acabar con la psicología.

(*El teatro y su doble*, 1938)

## Antonio Machado

Supongamos... que Shakespeare, creador de tantos personajes plenamente humanos, se hubiera entretenido en imaginar el poema que cada uno de ellos pudo escribir en sus momentos de ocio, como si dijéramos, en los entreactos de sus tragedias. Es evidente que el poema de Hamlet no se parecería al de Macbeth; el de Romeo sería muy otro que el de Mercutio. Pero Shakespeare sería siempre el autor de estos poemas y el autor de los autores de estos poemas.

## Albert Camus

Hablo del gran teatro, es decir, aquel que ofrece al actor la ocasión de llenar su destino físico. Piensen en Shakespeare. En ese teatro, son, desde el primer movimiento, los furores del cuerpo los que llevan la danza. Lo explican todo. Sin ellos, todo se derrumbaría.

(*El mito de Sísifo*, 1943)

## Stefan Zweig

La verdadera Inglaterra es Shakespeare y los shakespearianos; todo cuanto le precede no es más que preparación, y todo lo que le sigue sólo es imitación frustrada de este impulso original...

# Bibliografía

**Algunas ediciones en castellano de las obras de Shakespeare.**

*Obras Completas.* Barcelona, Argos-Vergara, 1960. 3 vols. (Trad. L. Astrana Marín.)
*Obras Completas.* Madrid, Aguilar, 1974. 2 vols. (Trad. L. Astrana Marín.)
*The Sonnets. Sonetos de amor.* Barcelona, Anagrama, 1974. (Trad. A. García Calvo.)
*Sonetos.* Madrid, Visor, 1983. (Selección y traducción de M. Mujica Láinez. Edición bilingüe.)

**Obras sobre Shakespeare**

ASTRANA MARIN, L.: *Vida inmortal de William Shakespeare.* Barcelona, Plaza & Janés, 1941.

CHUTE, M.: *Shakespeare y su época.* Barcelona, Juventud, 1960.

ESPINA, A.: *Shakespeare.* Madrid, Compañía Bibliográfica Española, 1962.

LEY, Ch. D.: *Shakespeare para españoles.* Madrid, Revista de Occidente, 1951.

SCHOENBAUM, S.: *William Shakespeare. A compact documentary life.* Londres, Oxford University Press, 1977.

WAIN, J.: *El mundo vivo de Shakespeare.* Madrid, Alianza, 1968.

WRIGHT, L. B. (y otros): *Shakespeare y la Inglaterra de su tiempo.* Barcelona, Timun Mas, 1965.

# BIBLIOTECA SALVAT DE GRANDES BIOGRAFIAS